O Guardião da Luz

O Guardião da Luz

A história do Caboclo Ventania

OSMAR BARBOSA

PELO ESPÍRITO DE DANIEL

O Guardião da Luz

Das profundezas da mata virgem surge um guerreiro de muita luz.

Book Espírita Editora
5ª Edição
| Rio de Janeiro | 2020 |

OSMAR BARBOSA

Pelo Espírito de Daniel

BOOK ESPÍRITA EDITORA

ISBN: 978-85-92620-04-2

Capa
Marco Mancen

Projeto Gráfico e Diagramação
Marco Mancen Design Studio

Ilustrações do miolo e personagens da capa
Manoela Costa

Revisão
Josias A. de Andrade

Marketing e Comercial
Michelle Santos

Pedidos de Livros e Contato Editorial
comercial@bookespirita.com.br

Copyright © 2020 by
BOOK ESPÍRITA EDITORA
Região Oceânica, Niterói, Rio de Janeiro.

5ª edição
Prefixo Editorial: 92620
Impresso no Brasil

Todos os direitos reservados e protegidos pela Lei 9.610, de 19/02/1998. Nenhuma parte deste livro pode ser reproduzida ou transmitida por quaisquer formas ou meios eletrônicos ou mecânicos, incluindo fotocópia, gravação, digitação, entre outros, sem permissão expressa, por escrito, dos editores.

Outros livros psicografados por Osmar Barbosa

Cinco Dias no Umbral

Gitano – As Vidas do Cigano Rodrigo

Orai & Vigiai

Colônia Espiritual Amor e Caridade

Ondas da Vida

Antes que a Morte nos Separe

Além do Ser – A História de um Suicida

A Batalha dos Iluminados

Joana D'Arc – O Amor Venceu

Eu Sou Exu

500 Almas

Cinco Dias no Umbral – O Resgate

Entre nossas Vidas

O Amanhã nos Pertence

O Lado Azul da Vida

Mãe, Voltei!

Depois...

O Lado Oculto da Vida

Entrevista com Espíritos – Os Bastidores do Centro Espírita

Colônia Espiritual Amor e Caridade - Dias de Luz

O Médico de Deus

Amigo Fiel

Vinde a mim

Impuros – A Legião de Exus

Umbanda para Iniciantes

Agradecimento

Agradeço, primeiramente, a Deus por ter me concedido esse dom, esse verdadeiro privilégio de servir humildemente como um mero instrumento dos planos superiores.

Agradeço a Jesus Cristo, espírito modelo, por guiar, conduzir e inspirar meus passos nessa desafiadora jornada terrena.

Agradeço a Daniel, a oportunidade e por permitir que estas humildes palavras, registradas neste livro, ajudem as pessoas a refletirem sobre suas atitudes, evoluindo.

Agradeço, ainda, aos meus familiares, pela cumplicidade, compreensão e dedicação. Sem vocês ao meu lado me dando todo tipo de suporte, nada disso seria possível.

E agradeço a você, leitor, que comprou este livro e com sua colaboração nos ajudará a conseguir levar a Doutrina Espírita e todos os seus benefícios e ensinamentos para mais e mais pessoas.

Obrigado.

A todos, os meus mais sinceros agradecimentos.

Osmar Barbosa

Conheça um pouco mais de Osmar Barbosa em

www.osmarbarbosa.com.br

*"O autor doou todos os direitos dessa obra à
Fraternidade Espírita Amor e Caridade.
Rua: São Sebastião, 162 - Itaipu - Niterói - RJ.*

Sumário

Ventania..25

Cacique Lua Grande 39

Lua Vermelha 43

A aldeia...77

A dor 105

A revolta..117

O massacre...127

O castigo..143

A viagem..159

Aparição 171

Recomeço 177

A morte 185

A acolhida..201

Mensagem de Osmar Barbosa....................212

"Venta, venta, venta, ventania

Venta no meu peito remador

Venta no raiar de um novo dia

Venta para que não haja mais dor"

Ventania

Mensagem do Ventania

Meus filhos queridos, índios
guerreiros, seguidores do mestre
Jesus.

Desempenhem com ardor a missão a
que foste chamado, em auxílio do bem
dos teus irmãos, para a glória de Deus
e o nosso amado irmão Jesus.

Lembra-te, sempre, que na humildade
de quem busca, na submissão sublime
à ordem e à disciplina para alcançar o
sagrado, está o segredo do êxito de tua
caminhada mediúnica.

A tua felicidade, embora não pareça,
está atrelada à tua missão religiosa,
tua fé e acima de tudo sua dedicação.

Seja prudente diante dos fatos que
ocorrerem na sua vida, seja o
mensageiro do bem.

Olhai tudo com os olhos da fé,
desprovido de crendices e superstições,
mas buscando nos sinais positivos e
nas ações das sagradas vibrações, que
sempre estão vibrando para o
equilíbrio e harmonização do universo.

Querido filho, querida filha, a tua
missão na Umbanda deve ter como
caminho o estudo, a disciplina e o
trabalho; e como meta e finalidade a
caridade para alcançares o teu irmão
em desequilíbrio, sofrimento,
desespero e dor.

Busca primeiramente em tudo Jesus,
pois é a ação do divino Deus que se faz
presente nas vibrações sagradas
projetadas por todos os Orixás onde
quer que estejas.
Seja sempre o servo a serviço do
amado Jesus.

Ventania

Ventania

Sertão brasileiro.

– Bom dia, Ventania!

– Bom dia, Ibirajá!

– Preciso muito falar com você.

– Agora não posso atendê-lo. Meu pai me espera. Estou indo ao acampamento dos padres. Preciso ver como ele está. Você sabe, ele está muito doente e precisando de ajuda.

– Eu compreendo. Mas quando é que agente poderia conversar?

– Venha na parte da tarde até a minha oca e agente conversa. Pode ser?

– Claro! Obrigado, Ventania. Volto mais tarde.

– Correto, agora vá. Certamente você tem afazeres aguardando-o – finalizou Ventania.

– Sim, Ventania, pode deixar.

O sol nasceu com toda sua força e pujança de astro-rei naquela manhã reluzente do sertão brasileiro. O céu azul estampava, ainda que em pouquíssima quantidade, algumas nuvens brancas que vez ou outra passavam sobre a luminosidade quente daquele alvorecer primaveril. As árvores esbanjavam otimismo e traziam as mais belas flores para os olhos de quem por ali passava.

Não eram poucas as questões que aguardavam para ser resolvidas na grande aldeia Crioli. Ventania era o filho mais novo do grande Pajé Lua Grande e já tinha muitas responsabilidades na aldeia. O pajé é uma figura de destaque central nas tribos indígenas.

São os curandeiros, tidos como portadores de poderes ocultos, além de serem os orientadores espirituais daquelas comunidades. Os pajés dominam como poucos o conhecimento a respeito da utilização das plantas para cada caso específico de enfermidade ou problema espiritual, conhecimento este que geralmente é passado de geração em geração. Os índios acreditam que os pajés nutrem ligações diretas com os deuses, sendo representantes escolhidos pelos deuses para passar as profecias ao povo daquela comunidade.

Pois bem, o Pajé Lua Grande encontrava-se realmente muito debilitado. Embora fosse um curandeiro único e muito especial, vinha sendo tratado de perto pelos médicos designados pelos padres. Não fazia muito tempo que os padres se aproximaram da aldeia com o intuito de catequizar os índios. O plano era evangelizar a todos da mesma forma. Eles chegaram a montar um pequeno hospital improvisado no meio da mata para atender aos índios doentes e aos poucos fazendeiros que existiam na região. Além de Ventania, o Cacique Lua Grande e sua esposa, Jurema, tinham mais três filhos: Glaciará, Vento Lindo e Juçara. Glaciará era casada com o índio Vento Rápido e

Juçara com o índio grande Raio Dourado, respeitado por todos na tribo, mas considerado um desafeto direto de Ventania. Juçara e Raio Dourado eram pais do pequeno Tacuri.

Raio Dourado é um jovem muito ambicioso e, sempre que pode, tenta atrapalhar a boa convivência desta grande família Crioli. Todos sabem que seu grande sonho era ser o cacique da tribo, algo que jamais conseguirá, pois o sucessor imediato e natural do Cacique Lua Grande é seu filho Ventania.

Muito contrariado com os acontecimentos mais recentes, Ventania esperou o momento oportuno para tomar as decisões de acordo com os costumes e tradições de seu povo. A interferência muito próxima dos padres no cotidiano e vida da aldeia o incomodava muito. Ventania não aceitava essa aproximação externa de pessoas que nunca conviveram ou entenderam o povo indígena. Temia pela integridade dos costumes e da cultura de seu grupo e de sua grande família Crioli. Com isso, o ambiente entre eles foi ficando cada vez mais tenso e preocupante. Como filho do grande chefe e pajé da tribo, cabia a ele aceitar as determinações de seu pai, o que muito o aborrecia. A missão dos padres era de fato evangelizar todos os índios dos sertões brasileiros. Mas para Ventania, a presença do homem branco não era nada bem-vinda.

Todos os dias, junto de sua mãe, Ventania visitava seu pai no pequeno hospital improvisado. Eram sempre recebidos por Frei Daniel, um dos responsáveis diretos pelo projeto evangélico no Brasil naquela época.

– Bom dia, Ventania!

Após uma hora de caminhada, Ventania e Jurema, sua mãe, estavam visivelmente ofegantes e suavam por causa do sol escaldante do sertão. Enxugando a testa, Ventania disse:

– Bom dia, senhor Padre. Desejo ver meu pai.

– Infelizmente seu pai ainda não pode receber visitas, Ventania. Ele ainda está muito fraco e não pode ter contato com ninguém.

– Seu Padre, por favor, me deixe ver meu pai. Deixe-me lhe explicar: trouxe umas ervas para passar nele. Preciso muito aplicar nele – insistiu o índio, mostrando-se visivelmente contrariado.

– Infelizmente não estou autorizado a deixá-lo entrar. Seu pai está muito mal e não sabemos se é contagioso. Pode ser muito perigoso proliferarmos esse mal para toda a tribo. – afirmou Frei Daniel de forma doce, como é de seu hábito ao lidar com os índios e com todos.

Frei Daniel é um missionário cristão da missão Colônia de São José da Providência do Alto Alegre. Mas Ventania não consegue compreender as razões expostas por Daniel. Aumentando o tom de voz, o índio foi mais incisivo.

– Você não pode me impedir de ver meu pai – disse o caboclo, muito irritado.

– Não é questão de impedir, Ventania. É que ele não está bem e pode contagiar a todos. O risco é enorme.

– Sempre cuidamos de nossos doentes. Nunca precisamos de ninguém, nem de vocês. Preciso vê-lo e é o que vou fazer – insiste o caboclo, visivelmente atordoado.

Daniel tenta um meio-termo consensual.

– Espere um pouco, Ventania. Vou conversar com os médicos sobre sua presença e ver o que podemos fazer, tudo bem?

– Sim. Estarei aqui esperando.

Daniel saiu caminhando lentamente, e Jurema tentou acalmar seu filho, que estava com o pescoço vermelho e os olhos intensos de preocupação com seu pai.

– Calma, meu filho, não vê que o padre só quer nos ajudar? Imagina se realmente for algo contagioso. Pense nas crianças da tribo – disse Jurema, tentando acalmar o filho.

– Minha mãe, nem sei o que dizer desses padres; tanto falei que não deviam ter permitido que trouxessem meu pai para cá, mas vocês não quiseram me ouvir.

– Mas ele estava muito ruim, Ventania, não tínhamos outra escolha. Afinal, você estava fora da aldeia.

– Me culpo todos os dias por isso. Logo que retornei, tentei reunir um grupo para resgatar meu pai e muitos foram contra.

– Tenha paciência, tudo vai se resolver. Tenha fé, vamos acreditar na melhora de seu pai com muita crença.

– Embora seja muito difícil, tenho fé sim, minha mãe, muita fé. Mas você sabe que nossa fé está baseada nas ervas, nos cânticos e no batuque do tambor. Nunca terei fé em um bando de padres que invadem nossa vida e mudam tudo.

– Você, Ventania, como grande guerreiro que é, tem que ter sabedoria para administrar essas situações. Como diz Lua Vermelha, eles só querem ajudar.

– Não precisamos da ajuda deles, minha mãe, nunca precisamos e não vai ser agora que precisaremos.

– Nossa, mas você é bem teimoso mesmo, hein Ventania? Estou para ver nascer um índio mais teimoso que você – desabafou Jurema, que sempre chama o filho pelo nome quando está muito irritada com ele. Aborrecida, Jurema afastou-se do filho resmungando um bocado.

Frei Daniel é do grupo expedicionário capuchinho que chegou ao Brasil com a missão de espalhar a igreja católica pelo mundo.

Daniel é conhecido por sempre auxiliar e atender todo mundo com muita paciência e atenção. É um dos responsáveis pelas crianças indígenas e auxilia na administração da missão dos padres. Daniel compreende as tradições e costumes indígenas e lida com muito carinho com todos os índios da tribo Guajajaras.

Uma infinidade de povos indígenas habitava o Brasil muito tempo antes da chegada dos portugueses no já tão conhecido ano de 1500. Cada um desses povos e comunidades conservava uma cultura própria, com costumes religiosos e hábitos de vida muito peculiares às suas tradições históricas.

Viviam basicamente da caça, pesca e agricultura. Todos costumam nutrir uma relação íntima com a natureza. Aprenderam a lidar com ela de forma íntima e dependem diretamente de seus recursos e abrigo para quase tudo. Por isso, até sabem tratá-la com respeito, num ritmo que ela possa gerar frutos e recursos. Da mesma forma, essa mesma natureza sempre teve nos índios seus guardiões perfeitos, além de disseminadores da cultura baseada no valor dos recursos naturais para uma vida mais saudável e sustentável. Muito do que temos hoje como hábito em nossas vidas é fruto de costumes indígenas.

Se comemos raízes como a batata, o aipim, o inhame, a batata-doce, alimentos que inclusive hoje são tidos como perfeitos pelos mais renomados nutricionistas, devemos aos índios.

E a lista não termina com as raízes. Fazem parte ainda a pimenta, o feijão, o milho, enfim, uma lista infinita de alimentos que foram descobertos, e amplamente utilizados pelos indígenas, e que hoje fazem parte do nosso dia a dia.

Se hoje nossa música está baseada no ritmo da percussão, devemos muito aos povos africanos, mas também aos índios. Diversas ervas e plantas naturais utilizadas como medicamentos vieram de hábitos e costumes indígenas. E por aí vai, na alimentação, na cultura, na língua e nos hábitos.

Os índios estão intrinsecamente conectados ao nosso patrimônio cultural e natural. Com tudo isso, é muito triste vermos como a ignorância e a falta de conhecimento de pessoas limitadas fazem com que muito da cultura indígena, principalmente no que diz respeito aos aspectos religiosos, seja alvo de preconceito e intolerância.

Osmar Barbosa | 31

Ora, se os índios idolatram entidades, que servem apenas para que a relação com os elementos da natureza seja mais íntima e profunda, que mal há nisso? Se essas entidades os inspiram a levar uma vida regrada no bem, respeitando a sustentabilidade dos recursos naturais e os costumes familiares, que mal há nisso? Se essa crença os auxilia, inclusive a enfrentar as enfermidades e a morte, que mal há nisso? Só porque é diferente do que você faz para se conectar com as esferas superiores? Só porque eles dão nomes diferentes para aqueles que os ajudam a se conectar com o bem? Como disse Allan Kardec, meus queridos leitores e queridas leitoras, "para cima tudo converge". Isso quer dizer que, independentemente dos nomes e ritos que uma religião utiliza para fazer o bem, todos se encontrarão em algum ponto e convergirão para o mesmo destino: o do bem absoluto e imortal, já que a vida é eterna.

Bom, os índios ainda difundiram o uso da rede de dormir, e a prática do banho diário, costume desconhecido pelos europeus do século XVI. Para a língua portuguesa legaram uma infinidade de nomes de lugares, pessoas, plantas e animais em um conjunto de no mínimo 20 mil palavras.

Não podemos esquecer ainda que muitas de suas lendas foram incorporadas ao folclore brasileiro, tornando-se conhecidas em todo o país e contribuindo para a disseminação de valores importantes para a nossa sociedade.

As comunidades indígenas eram formadas por grandes tribos, e tinham na figura do cacique o chefe político e administrativo. Era ele que organizava os aspectos mais ligados à operação e funcionamento de tudo naquela comunidade. Já o pajé era o responsável pela transmissão da cultura e dos conhecimentos de todo tipo. Como vimos, o pajé era quem também cuidava

32 | O Guardião da Luz

da parte religiosa e medicinal, por meio da cura com ervas, plantas e rituais religiosos. No momento em que um novo índio nasce, os pajés e caciques voltam seu olhar enigmático para as estrelas, para lerem nas linhas da natureza sob qual entidade e elemento aquele novo ser nasceu.

A religião indígena era fundamentalmente baseada na crença da existência dos espíritos de antepassados e das forças da natureza. Associavam espíritos, ou se preferir, deuses ou entidades, a cada elemento da natureza, como forma a se relacionar intimamente com eles, facilitando o contato e a aproximação. Eles realizavam grandes festas e cerimônias religiosas.

Nessas ocasiões, realizavam muitas danças típicas, cantavam à noite toda e pintavam seus corpos como uma linda homenagem aos espíritos dos antepassados e aos espíritos da natureza.

Daniel compreende que eles estejam preocupados por não aceitarem tão bem assim a presença dos brancos entre eles. A missão dos padres é evangelizá--los e auxiliá-los em seu desenvolvimento pessoal, moral e higiênico. Mas, desde que chegaram ao sertão, há no ambiente entre os índios e os padres uma grande tensão. Os caciques mais antigos não veem com bons olhos a aproximação dos padres e nem tampouco do homem branco.

O que mais aborrece os índios é o afastamento das crianças de suas tribos. Muitas delas são levadas pelos padres da missão, que recolhem essas crianças em um orfanato, onde são catequizadas e evangelizadas pelas freiras vindas de toda parte do mundo. Elas vêm para auxiliar os padres na missão capuchinha. Várias reuniões são feitas entre todos os índios e caciques das tribos da região, para tratar do mesmo tema: a chegada, em número cada vez maior, de padres.

Há vários núcleos de Guajajaras espalhados pela redondeza. A aldeia Crioli é a mais intensa, rebelde e difícil para os missionários da Igreja, que não conseguem se aproximar de todos. Ventania é o próximo a ser empossado como cacique, herdando o comando da aldeia de seu pai. Esse é o costume. Muitos já não acreditam muito na recuperação do Cacique Lua Grande, e se preparam para receber o mais novo líder.

Existem muitos rituais praticados por todos na tribo, que ocupa uma linda área incrustada no meio de uma ampla área de mata atlântica virgem. Eles acreditam em Tupã como principal mensageiro do grande deus superior de todos os índios. Tupã é uma entidade da mitologia tupi-guarani e significa "trovão" na língua nativa. Os índios acreditam que Tupã é a mais perfeita manifestação de um deus na forma do som do trovão. Uma divindade máxima, protetora e guerreira. A cada ciclo de lua cheia, todos os índios se encontram em volta da grande fogueira, onde todos os males e doenças são queimados de forma simbólica, mas profundamente intensa. Ventania é o responsável pelos rituais, foi seu pai, Lua Grande, quem passou para ele todos os conhecimentos das ervas, dos cânticos e mantras necessários à realização da cura.

As mulheres da tribo cuidam da colheita das plantações de milho, abóbora e mandioca. Além disso, são bordadeiras por excelência e têm o respeito de seus homens que as cultuam com muito respeito. Os homens, por sua vez, cuidam da caça e da pesca, além de cuidarem da espiritualidade geral da aldeia e das sessões de cura. São exímios construtores, pois também são os responsáveis pelas ocas e manutenção de toda a tribo.

Ventania mora em uma oca espaçosa às margens do Mearim, rio que nasce na confluência das serras Negra, Menina e Crueiras, e que desemboca na baía de São Marcos, na altura da Ilha dos Caranguejos. Trazia uma pele morena queimada pelo sol ávido que imperava pelos céus. Trazia na fronte tenros cabelos lisos e longos, sempre esvoaçados, emoldurando olhos certeiros e castanhos. Olhar que impressionava pela expressão profunda, de quem já enfrentara toda sorte de perigo e desafio na vida, ainda que sendo jovem.

Ventania tem por hábito se afastar do cotidiano quando precisa renovar suas energias e colocar os pensamentos no lugar. Quando isso acontece, ele caminha por dias para seguir ao encontro do mar. Lá chegando, costuma ficar longas horas sentado nas pedras, visualizando o grande oceano de forma reflexiva. É ali que Ventania evoca a ajuda elevada para seus rituais de cura. Pede por ajuda superior e sabedoria para saber lidar com todos os problemas da aldeia, por meio de uma conversa íntima com os seres superiores. Ventania lança suas preces ao mar onde elas mergulham nas ondas sagradas dos deuses da água.

Ventania foi educado por seu pai, que lhe passou todos os segredos ancestrais da cura indígena. Aprendeu tudo muito rápido e muito jovem, porque sempre se destacou por sua inteligência e sapiência em aprender. Domina com maestria todos os rituais e conhece com particularidade o significado e utilidade de cada erva. É misturando as ervas ideais que ele faz os chás que curam os enfermos com muita eficiência e rapidez.

Osmar Barbosa | 35

Também por demonstrar muita inteligência desde menino, aprendeu rapidamente diversas línguas de outras tribos próximas. Ventania fala diversos idiomas indígenas. É justamente desta destreza e agilidade em aprender com tanta astúcia que surgiu o seu nome. Pela sua velocidade de raciocínio, e por ter sempre uma solução rápida para os problemas mais graves.

Além disso, é um exímio caçador, que tem como grande diferencial a velocidade e a agilidade de suas flechas. Ventania acredita que os deuses conferem aos caçadores uma força espiritual superior para praticar atos de bravura. Ventania atua ainda como xamã da aldeia sendo o responsável pelas invocações ritualísticas, manifestando supostas faculdades mágicas, curativas ou divinatórias. Apesar de sua pouca idade, ele cuida das doenças, passando receitas vindas de seus ancestrais às mulheres, pois acredita que elas, assim como o dom de dar à luz, ao manipular uma receita, dão também a energia de cura a quem está enfermo. Tem por hábito conversar com espíritos e sempre costuma consultá-los para tudo o que faz. Portanto, tem uma grande essência espiritual em suas veias.

Ventania tem dezenove anos. E é cobiçado por todas as moças da aldeia. Mas seu coração já tem dono: é em Lua Vermelha que deposita todo o seu amor e devoção apaixonada.

Cacique Lua Grande

Após alguns minutos, Daniel retorna da tentativa de convencer os médicos a permitirem a visita de Ventania.

– Ventania, infelizmente seu pai não vai poder receber visitas no momento. Tentei sensibilizar os médicos, mas ele realmente precisa ficar isolado de todos por algum tempo. Ainda não se sabe ao certo qual o mal que o aflige. Por isso é recomendável que fique isolado. É necessário esse isolamento.

– Tenho os remédios necessários para que meu pai fique bom – disse o caboclo.

– Compreendemos os costumes e tradições da sua aldeia. Mas essas são as orientações médicas. Nada posso fazer, infelizmente.

– Acho que terei que tomar uma decisão sozinho.

– Não fique assim, meu jovem. Estamos cuidando muito bem do seu pai. Logo ele estará com a saúde restabelecida, se Deus quiser.

Percebe-se que o caboclo ficou muito aborrecido.

– Esses remédios que vocês estão dando a ele são o que o faz piorar. Tenho a certeza de que nossos costumes, e nossos medicamentos, são o que de melhor podemos dar a meu pai neste momento.

– Eu entendo sua preocupação com seu pai, meu filho. Mas vamos ver se os médicos podem ajudá-lo. Logo tudo ficará bem – intercede sua mãe, Jurema, com a paciência de sempre.

– Volte para sua aldeia, Ventania. E procure se acalmar. Assim que ele melhorar avisaremos vocês – consola Daniel, e na sequência, sem conseguir disfarçar que percebera algo na mão do jovem índio:

– Que mal lhe pergunte, Ventania, o que traz em suas mãos?

– É um chá de ervas preparado especialmente para a cura de meu pai.

– Vamos fazer assim, então. Deixe esse pote comigo, que falarei com o médico. Se ele autorizar, eu mesmo sirvo ao seu pai. Pode deixar comigo.

Sinalizando com um movimento de positivo com a cabeça, Ventania pareceu concordar. Acalmando-se, entregou a Daniel a pequena moringa contendo o chá da mistura de ervas.

– Farei assim, Daniel. Mas volto depois para vê-lo. E trarei mais remédios para ele.

– Certo, Ventania, volte amanhã, estarei te esperando.

– Obrigado, padre.

– Está bem, Ventania. Vá com Deus!

Muito contrariado, o caboclo retornou à sua aldeia, cabisbaixo e triste por não ter podido ver seu pai novamente.

"As almas já nascem predestinadas a se encontrarem aqui na Terra. Quando o encontro acontece dá um gelo, um calor... a certeza do amor nasce."

Nina Brestonini

Lua Vermelha

Sentada à beira do rio Mearim, banhando delicadamente peças de roupa retiradas uma a uma de uma grande cesta, está Lua Vermelha. Uma índia de pele cabocla clara, longos cabelos negros e lisos, tão longos, que suas pontas chegavam a encostar-se ao espelho d'água. Tinha os olhos também negros como uma noite densa de verão. Olhos que faziam com que ela emanasse um olhar singular e poderoso. E parecia que Lua Vermelha já tinha se dado conta do poder de seu olhar, já que apenas para alguns poucos concedia a honra de olhá-la nos olhos. Chamavam-na de tímida e encabulada por causa disso. O corpo era de uma menina de dezessete anos de idade, jovem, com o frescor da idade, já se delineando ali o corpo de mulher.

Ao longe é Ventania que se aproxima de sua amada. Vem caminhando lentamente, parecendo querer aproveitar cada segundo para observá-la de longe, e admirar aquela índia linda e apaixonante que só tem olhos para este caboclo.

– Lua Vermelha...

– Oi, Ventania, não sabia que estava por aqui.

– Precisava conversar...

– Claro, meu amor, diga-me, o que houve? Como foi a visita ao seu pai?

– Estivemos, eu e minha mãe, no hospital dos brancos para ver meu pai e fui impedido de vê-lo. Você pode acreditar nisso, Lua?

– Não fique assim, Ventania. Mas o que houve? O que disseram?

– Ah, o padre, de nome Daniel, me disse para confiar neles; e os médicos disseram que não se sabe ainda ao certo de que meu pai padece, e que seria muito arriscado autorizarem a visita sem saber se é algo contagioso que pudesse se alastrar na aldeia inteira.

– Ora, meu amor, me parece algo preocupante mesmo, confie nos padres. Eles só querem nosso bem, e com certeza não te impedirão assim que tiverem certeza da doença e do risco de contágio.

– Mas nunca tivemos isso aqui na aldeia, Lua. Nunca tivemos uma doença dessas, tão forte a ponto de ser contagiosa. De onde surgiu essa doença, assim agora, do nada? Não consigo aceitar essa intromissão em nossos costumes e em nossas vidas. Isso me irrita muito.

Lua Vermelha levantou-se e enxugou as mãos cuidadosamente na própria roupa. Ergueu seu olhar para encontrar o olhar do caboclo. Recostou a cabeça no peito musculoso de Ventania e carinhosamente o acariciou, buscando acalmá-lo, o que, obviamente, funcionava. Afinal, como resistir aos encantos e carinho de uma das índias mais lindas que se teve notícia por essas terras? Lua Vermelha então procurou conversar, sempre com a voz tenra e aveludada:

– Meu amor, você sabe o quanto és importante para mim e para todos na nossa aldeia. Mas temos que aceitar as mudanças que podem ser benéficas para o nosso povo. As crianças já estão aprendendo até a língua dos brancos, e isso é bom para o futuro de todos nós, principalmente para o futuro de nossa aldeia. Estão aprendendo a escrever, veja só. Eu sei que isso são coisas dos brancos, mas é muito positivo para todos nós.

– Não acho que sejam boas essas mudanças. Quando me tornar cacique, nada disso estará acontecendo por aqui. Sempre vivemos muito bem sem nada disso.

– Ventania, deixe de ser tinhoso, menino! Pense no futuro de nossa tribo! Vamos até ali. Quero lhe mostrar uma coisa.

– O que?

Carinhosamente Lua Vermelha toma a mão direita do caboclo, mesmo com sua mão sendo menos da metade do tamanho da mão de Ventania, e o convida a sentar-se a alguns passos de onde estavam mais acima no curso do rio.

– Olhe o curso da água deste lindo rio que passa lentamente por nós. Consegue ver ali, mais acima, vindo em nossa direção, para a curva onde estamos sentados? Agora vire a cabeça e observe como ele segue depois que passa por nós. Conseguimos vê-lo seguindo seu caminho, não é mesmo, a despeito dos obstáculos?

– Sim, estou vendo o rio. Só não consigo ver o que você quer me mostrar com isso tudo.

– Você já entendeu sim, pois és muito esperto que eu sei. Está a caçoar de mim, isso sim.

Osmar Barbosa | 45

Ventania sorriu, encabulado. Lua Vermelha prosseguiu.

– Você já percebeu que o rio, para conseguir seguir adiante, precisa se transformar para contornar os percalços, como as pedras, as montanhas e as florestas? Isso nos ensina, Ventania, que tudo se transforma, nada fica parado na vida e no tempo. Para evoluir em seu caminho, todos nós precisamos aprender a nos adaptar para superar as adversidades. Esse é o grande ensinamento de Tupã: nada fica estagnado no tempo. Nada pode abrir mão de se adaptar, tudo se transforma e se modifica a fim de buscar o seu curso natural. Assim, nossa tribo vem sendo ajudada pelos padres que só querem o nosso bem, logo todos nós teremos que aceitar as mudanças que a humanidade exige.

– Lua Vermelha, acho que você está realmente gostando da intromissão desses padres em nossas vidas.

– Não é questão de gostar, Ventania, mas sim de olhar e ver que as intenções são as melhores possíveis. Estive conversando com Frei Daniel, e ele me disse que a única preocupação deles é nos ensinar as coisas que certamente nos deixarão melhores, e que educando nossas crianças elas poderão se transformar em homens e mulheres que certamente preservarão nossos costumes, mas que conseguirão se relacionar e até poderão levar nossa cultura para outros lugares, outros povos, outras nações, assim como eles que estudaram tanto e agora vieram até aqui para nos ajudar.

– Já lhe falei que a intenção deles é tomar todas as nossas terras e nossas riquezas, além de acabar com os nossos costumes.

– Meu amor, não é nada disso!

– Não quero ouvir esta conversa-fiada, basta!

– Você é o índio mais lindo que existe na face da Terra. Porém, também é o mais cabeçudo e teimoso, nunca vi!

– Não me importa, sei o que sinto. Começo a pensar que você, Lua Vermelha, gosta dos homens brancos.

– Não é isso, criatura, deixe de ser ciumento! É que nossas crianças estão adorando ser cuidadas pelas freiras e pelos padres, estão aprendendo a ler e a escrever, e isso é importante para todos, como já lhe falei.

– Não penso assim e pronto! Quando terminar seus afazeres, me procure para caminharmos na mata.

– Pode deixar, assim que terminar eu lhe procuro, agora me deixe terminar de lavar minhas roupas, seu teimoso!

Ventania despediu-se da linda cabocla com um leve beijo no rosto e saiu à procura de Ibirajá, seu fiel amigo e inseparável companheiro de caça. Logo adiante, em um descampado próximo ao rio, um grupo de crianças está a brincar com arcos e flechas feitas pelas índias para elas brincarem.

– Crianças! Colomis! Vocês viram Ibirajá por aí?

– Eu vi, Ventania – disse Tarumã –, ele foi caçar com Pena Roxa, Pedra Lisa e Kauã.

– Muito bem, Tarumã, mas você sabe para qual lado da floresta eles foram?

E apontando com o dedo, o pequeno Ibirajá indica o local da mata em que os caçadores entraram, sinalizando à direita.

– Eles foram por ali, Ventania, por ali!

– Obrigado, Ibirajá!

Ventania foi até sua oca pegar seu material de caça, pois pretendia juntar-se ao grupo de caçadores; mas enquanto se encaminhava para a floresta foi abordado justamente por Ibirajá, seu fiel amigo e irmão de Lua Vermelha.

– Ventania, Ventania, preciso lhe falar!

– Fale, amigo, estava indo lhe encontrar. Disseram-me que você estava caçando.

– Estava caçando sim, mas já retornei. Fui abordado por um grupo de irmãos de outra tribo dentro da mata e estamos combinando um encontro mais tarde. Mas somente entre nós, os mais jovens, para conversarmos sobre tudo o que está acontecendo por aqui.

– Como assim? Tudo o que, Bira?

– Ora, Ventania, não queremos mais esses brancos entre nós. Basta! Assim como você, nós não aceitamos as imposições desses intrusos e invasores em nossas vidas. Sempre vivemos bem e felizes do nosso jeito.

– Calma, Bira, fala baixo para não nos ouvirem. Quando será o encontro? E quem está com você nessas ideias?

– Hoje à noite vamos nos reunir na cachoeira pequena. São vários irmãos, de diversas tribos. Todos estão revoltados com as mudanças e invasões realizadas pelos padres e pelas freiras em nossas vidas.

– Pois bem, eu estarei lá – afirma Ventania, decidido.

– Sabia que você estaria conosco. Cuidado apenas com Lua Vermelha, ela não pode saber nada disso – alerta Ibirajá.

– Pode deixar. Não vou falar nada, eu sei que ela não aprovaria nada disso. Nem ela, e nem minha mãe.

– Nos veremos lá então. Até mais tarde, Ventania.

– Até mais, meu amigo Bira.

Está cada vez mais claro e latente que boa parte dos índios está insatisfeita com o novo regime implantado pela Igreja, muito embora tenham que respeitar as decisões do grande conselho.

Quando há questões de interesse geral de diversas aldeias da comunidade indígena, eles organizam um encontro que é chamado de conselho. Nessa reunião, os índios mais velhos, os caciques e os pajés de diversas tribos, que ocupam uma mesma área geográfica, se reúnem para decidir o futuro desses povos.

Esse grande encontro acontece geralmente uma vez a cada dois meses, sempre na lua cheia. As decisões são tomadas para o direcionamento de todas as tribos amigas e que seguem os mesmos costumes básicos e elementares.

Lua Vermelha saiu à procura de Ventania, após terminar seus afazeres rotineiros, dos quais gosta muito e se dedica com muito esmero e carinho. Ela é uma das índias com a personalidade mais forte da aldeia, e muitas das meninas a enxergam como uma líder na comunidade. Ela inspira as demais índias a serem mais guerreiras e firmes em suas posições, em relação aos fatos e ocorrências da tribo, não permitindo que sejam colocadas em segundo plano. É de fato uma nova geração de índias que surge mais consciente do seu papel na comunidade.

– Ventania! Tudo bem, meu amor? Vamos dar uma volta na mata? Terminei tudo que tinha para fazer e estou livre para passearmos juntos.

– Infelizmente não poderei ir, Lua. Estou indo caçar neste momento. Na volta procuro por você, pode deixar.

– Jura? Bom, então tá bom, claro. Vou esperar você voltar para jantarmos juntos, tá bom?

Pegando-o pelo braço, Lua Vermelha então beijou os lábios grossos de Ventania de forma extremamente carinhosa, mas ao mesmo tempo apaixonada. Num gesto brusco e veloz, como é sua característica, Ventania afastou-se de sua amada e adentrou a mata carregando em uma das mãos seu arco, com as flechas presas em uma bolsa nas costas, além de uma lança pontiaguda de cerca de dois metros de tamanho na outra mão, feita exclusivamente para caçar animais de grande porte. Em sua cintura, presas a um cinturão feito de couro de cabra, carregava duas facas pontiagudas e meticulosamente afiadas. Já caminhando em meio às enormes raízes das árvores, saltando cipós e irregularidades do solo, é por meio de assobios que Ventania se comunica com os demais companheiros que estão espalhados pela mata. Logo ele avistou seus amigos mais à frente, espreitando uma grande onça-pintada que parecia descansar em uma área aberta da mata. Ventania se aproxima do grupo.

– Olha, Ventania, estamos observando aquela onça.

– Vamos cercá-la, nos separamos e fechamos um círculo sem que ela perceba. Para o lado que ela correr, a gente pega, de qualquer jeito.

– Boa ideia, Ventania. Eu vou me deslocar ali para a esquerda – combinou Pena Roxa.

O cerco é feito com destreza pelo grupo. Mas mesmo com o movimento sutil dos índios que se movimentam na mata como espíritos, de tão imperceptíveis, a onça começou a desconfiar que alguma coisa estava acontecendo à sua volta. Logo ela subiu rapidamente em uma árvore, para melhor observar o que estava acontecendo. Ventania percebeu rapidamente a atitude do animal e posicionou-se embaixo da mesma árvore, a fim de atingi-la de alguma forma.

Todos em silêncio. Conseguiram se aproximar e cercaram o animal que repentinamente pulou sobre Ventania, e uma briga foi travada entre o índio e a onça que estava enfurecida. Atordoados, seus amigos não sabiam o que fazer. Tentavam atingi-la com as flechas e lanças, mas tinham que se preocupar em não acertar o amigo guerreiro. Em um gesto rápido, enquanto segurava o pescoço da onça com uma das mãos, Ventania tirou rapidamente uma faca da cintura e cravou no peito do bicho, que aos poucos se entregou, agarrada ao caboclo. Muito ferido e ensanguentado, Ventania foi rapidamente levado para a aldeia com o animal desfalecido. Todos correram para ver o que tinha acontecido com o jovem índio na mata. Lua Vermelha, ao saber do ocorrido, correu para cuidar do seu amado.

– Meu amor, o que houve?

Muito fraco por causa da perda de sangue, Ventania a segura pelas mãos ainda repletas de sangue e do pelo do animal.

– Fique tranquila, Lua, foi apenas um embate com uma grande onça-pintada que encontramos na mata.

– Mas meu amor, você está muito ferido! Vamos levá-lo ao médico imediatamente. Não posso lhe deixar assim.

– Nem pensar! Ninguém me leva para aqueles médicos coisa nenhuma, de jeito nenhum!

– Mas você está muito ferido – argumentou Ibirajá.

– Não importa, não preciso desses médicos. Tenho os remédios necessários para ficar bom em minha oca, levem-me para lá e ficará tudo bem.

– Vamos levá-lo – afirmou Pena Roxa, que bravamente trouxe seu amigo rapidamente para ser socorrido na aldeia depois da briga intensa travada entre ele e o animal.

Ventania foi então carregado por seus amigos caçadores até sua oca. Lua Vermelha pediu às outras índias que pegassem panos umedecidos com água quente, e começou a tratar dos ferimentos do seu amado.

– Você realmente é um grande guerreiro, Ventania. Olha só como está todo ferido! – disse sua mãe, Jurema, enquanto ajudava nos cuidados dos ferimentos do caboclo.

– Mas matei a onça, minha mãe, e isso é o que importa. Agora teremos alimento para todos, e guardem a pele deste animal como meu troféu de hoje.

– Ventania, você não toma jeito mesmo, né? Os padres nos trazem alimentos todos os dias. Não precisamos mais de caça.

– Jamais, minha mãe, jamais! Minha tribo nunca aceitará ficar sem suas tradições.

– Tá bom, querido, não vamos mais falar disso. Descanse, que vamos cuidar de você – consolou Lua Vermelha, apaziguando os ânimos de forma carinhosa como sempre.

– Nunca peça nada a esses padres e nem às freiras, não os quero mais por aqui. Um dia, quando tudo mudar, todos irão me agradecer por tudo o que farei.

– O que você tem em mente? Como assim "tudo o que farei"?

– Não importa, Lua Vermelha, não importa. Sei o que é melhor para todos.

– Não, Ventania, você acha que sabe o que é melhor para todos. Mas o grande conselho já decidiu e precisamos aceitar a ajuda dos padres e das freiras.

– Um dia tudo isso vai mudar, você vai ver.

– Deixe de bobagens, agora descanse, que vou cuidar de você; e não consigo com você falando essas besteiras toda vida.

– Isso mesmo, descanse, meu filho! – reforçou sua mãe que auxiliava Lua Vermelha nos curativos.

– Lua Vermelha, pegue as ervas que estão ali amarradas – pediu Ventania, apontando com o indicador direito para um saco pendurado na parede da sua oca.

– Qual? Essa aqui? – Lua Vermelha confirmou, apontando para os ramos de folhas secas penduradas na oca.

– Sim, essa mesmo. Agora cunhe-a em água morna e coloque sobre os ferimentos. Ficarei bom em um piscar de olhos.

Lua Vermelha seguiu a receita determinada pelo caboclo Ventania, que se deitou em sua rede e logo adormeceu por causa do chá preparado por sua mãe.

Ao ver que seu amado descansava, Lua Vermelha retornou à grande oca onde ficam todas as famílias, e foi logo reprimida por seu pai, Aruá.

– Lua Vermelha, onde você estava minha, filha?

– Estava cuidando de Ventania, meu pai. Ele foi atacado por uma onça e está muito ferido.

– E a onça?

– Ele a matou, e já está sendo preparada para hoje à noite.

– Guerreiro dos bons esse Ventania! – exclamou um Aruá orgulhoso e feliz pelo cumprimento das tradições antigas.

– Sim, papai, realmente ele não teme nada nem ninguém.

– Pois sim, não teme nada nem ninguém, mas teme o casamento, né?

– Como assim, meu pai? Que baboseira é essa?

– Como assim, "baboseira"? Até agora nada! Você já está com dezesseis anos passados. Ele vai te namorar e aí? – disse, revoltado, o pai de Lua Vermelha.

– Sabemos disso, papai, mas fique tranquilo que, inclusive, já conversamos muito sobre isso e ele não foge ao compromisso não, viu? Ele só está esperando a melhora de seu pai, Lua Grande, para realizarmos a cerimônia.

– Ora, e se Lua Grande não voltar?

– Ai, papai, pelo amor de Tupã! Isso é lá coisa que se diga? Claro que ele vai ficar bom e vai voltar. Os médicos estão muito confiantes em sua melhora, logo o nosso cacique estará restabelecido para realizar a cerimônia do nosso casamento.

– Mesmo assim vou conversar com ele, precisamos acelerar esta união; afinal vocês vivem pelas matas, pensa que eu não sei? Sou velho, mas não sou cego nem surdo.

– O povo é que fala demais, meu pai, mas está bem. Vou voltar a conversar com ele, pode deixar.

Osmar Barbosa | 55

A noite cai lentamente na aldeia dos Guajajaras. Ventania está ainda sonolento, mas começa a acordar dos efeitos do chá medicinal que sua mãe lhe preparou.

– Ventania! Ventania! Posso entrar?

– Pode sim, Ibirajá – diz Ventania ainda com a voz embargada.

Ibirajá e Tarumã entraram na oca de Ventania vestidos com os trajes típicos de combate e de guerra.

– Que isso, minha gente, aonde vocês estão indo assim? – perguntou Ventania, sem entender nada.

– Vamos para a reunião na cachoeira, ora, não se lembra?

– É mesmo! Esqueci completamente, estou muito ferido.

– Só viemos nos despedir, sabemos que você não poderá nos acompanhar e viemos só pegar alguma orientação com você.

– Como assim "não poderei acompanhar vocês"? No dia que isso acontecer podem me jogar ao mar para meu enterro, jamais perderia um encontro destes, mas por que estão vestidos com roupa de guerra?

– Este é o nosso tema a ser discutido na reunião de hoje, ninguém tolera mais os padres e todos aqueles que querem mudar nossos costumes sem nem sequer saber nossa opinião.

– Isso eu também não tolero. Vamos, vamos para a reunião! Deixe-me apenas colocar algo para acompanhar vocês – pediu um apressado Ventania.

Colocando o manto de guerra sobre o corpo, Ventania rapidamente fez dois traços de corante e urucu em cada um dos lados de seu rosto e seguiu amparado por seus amigos para a reunião na cocheira pequena.

Conforme o costume, todos estavam devidamente com suas faces pintadas e armas em punho. O corpo também apresentava listras coloridas feitas com tintas extraídas de diversas raízes e plantas, facilmente encontradas nos arredores da aldeia, para quem conhece os meandros e segredos da flora local, rica e versátil.

A maioria dos índios pinta a pele com o mesmo urucu que Ventania utilizou. Os índios acreditam que o urucu tem a mesma cor do sangue e, sendo assim, todo o sangue derramado nas batalhas será levado diretamente para Tupã, a grande entidade da cultura indígena.

Logo o grupo chega ao seu destino. Ventania é reverenciado por todos que o cumprimentam à medida que ele caminha em meio aos presentes. É um líder nato. Mesmo sendo tão jovem, consegue inspirar os mais jovens e dar confiança aos mais velhos, que veem nele um guerreiro destemido e vitorioso em quem podem confiar.

– Bem-vindo, Ventania!

– Olá, grandes e verdadeiros irmãos de vida e de guerra!

Todos gritam com a evocação de Ventania e seguem cumprimentando-o com emoção, muito por reverência ao seu pai, Lua Grande, que está enfermo e seria certamente um dos líderes do encontro, se ali estivesse. Todos se emocionam por ver seu grande filho representando-o com honra e hombridade.

Osmar Barbosa | 57

Até por isso o caboclo Ventania tem um lugar reservado ao centro da grande roda formada pelos índios, a maioria pajés e caciques, de diversas comunidades próximas. Há guardiões por todos os lados fazendo a segurança do evento. Sobre as árvores e à espreita nas trilhas que levam ao grande descampado no meio da mata, onde acontece o conselho, Pena Roxa começou então a falar.

– Silêncio! Silêncio! Guerreiros de todos os povos irmãos, desta grande fraternidade indígena. Primeiramente gostaria de agradecer a presença de todos e de nosso grande Tupã pela saúde e possibilidade de estarmos aqui hoje juntos, vivos, repletos de paz e cumplicidade.

Todos gritam uma ode em reverência ao deus Tupã. Pena Roxa prosseguiu:

– Nossos costumes estão sendo sabotados e arrancados pelos padres, e por todos aqueles que os acompanham nessa missão, que parece ser destinada a nos destruir aos poucos. Nossos velhos já não enxergam mais nossas tradições sendo realizadas como eram há pouco tempo, e se rendem a esses brancos das cidades. Nossa comida deve continuar sendo da nossa colheita, das nossas matas e plantações, e da nossa caça. Nossos banhos devem continuar sendo no rio. Nossos costumes e nossa língua estão sendo tirados de nossas crianças e logo toda nossa história estará perdida. Elas já nos questionam por que devem reverenciar Tupã e todas as demais entidades da natureza, pois estão aprendendo o nome de santos e outras entidades dos brancos. Não podemos tolerar tal situação. Basta!

Todos gritam, enfurecidos. Pena Roxa sempre foi um excelente orador,

58 | O Guardião da Luz

fala com emoção direta ao coração. Toca fundo na alma de todos os índios presentes. Ele seguiu discursando em alto e bom som, para todos os presentes sentirem um furor crescendo dentro de si.

– Proponho que convoquemos um grande conselho na próxima lua grande para colocarmos nossas vontades e nossas tradições em votação. Não podemos mais ficar de fora das decisões de nossa tribo. Basta!

Depois de mais uma sessão de gritos e cânticos de apoio ao discurso, Pena Roxa então passou a palavra para Tarumã, que estava ao seu lado:

– Amigos, irmãos, tudo tem piorado para o nosso lado. Nossas velhas estão ficando doentes com as comidas que nos são trazidas pelos brancos. A própria proximidade com eles não é boa para a gente, pois eles trazem doenças que nunca vimos na vida. Nossas crianças não brincam mais como nós brincávamos quando éramos crianças. Está tudo se modificando. Estamos perdendo nossas tradições e costumes. Basta!

Mais uma vez um grande alvoroço se faz presente. Ouvem-se gritos, e todos levantam seus braços com as armas erguidas em punhos cerrados, com a repetição ritmada de gestos de guerra. Há em torno de 250 índios nesta reunião. A palavra então é concedida a Bravo Luar.

– Guerreiros, nosso rio está triste. Nossa lua está pequena. Nossas mulheres estão aprendendo outro idioma e tendo hábitos estranhos. Nossas meninas e meninos sentem vergonha em andar nuas, conforme nossas tradições. Isso é intolerável, não podemos mais ficar olhando todas as nossas tradições se perderem pelas vontades destes homens brancos.

Osmar Barbosa | 59

É chegada a vez de Ventania falar:

– Irmãos guerreiros, que Tupã esteja conosco!

Já na primeira frase de Ventania os gritos de apoio estão mais intensos ainda. Ventania seguiu evocando o espírito guerreiro de seus irmãos indígenas:

– Nosso maior patrimônio são nossos costumes, nossos hábitos, a forma como fazemos as coisas há milênios. E não vai ser meia dúzia de "branquelos" azedos que vai nos fazer mudar nosso jeito de ser, não é mesmo?

Todos gritam. Ventania continua gritando ainda mais.

– E tem mais: meu pai não pode mais permanecer em cárcere com esses cretinos infelizes. Como permitimos que isso acontecesse? Meu pai, líder de nosso povo, enclausurado sem nenhum acesso nosso. Sabe-se lá o que estão fazendo com ele. Basta! Isso precisa ter um fim e é já! Vamos em frente com a luz de Tupã – a cada frase, uma saraivada de gritos –, com o poder invencível do vento e das matas – mais gritos. Com a energia dos raios e a potência das águas, somos mais fortes; juntos, somos mais fortes!

O encontro veio abaixo, todos gritaram por minutos. Cânticos de guerra foram entoados e muitos tambores e outros instrumentos de percussão acompanhavam as vozes ensandecidas. Nesse momento, Pena Roxa levantou-se para falar mais.

– Amigos, irmãos, todos concordamos que algo precisa ser feito. Mas peço apenas que esperemos o melhor dia e a melhor oportunidade; acredito que precisamos esperar para ver de fato como está a saúde de Lua Grande.

Ventania não pode comandar a tribo sem a permissão de seu pai. Lua Grande ainda é o cacique supremo destes povos e assim tem que ser.

– Pena Roxa tem razão, irmãos, não posso assumir a liderança de nossa tribo passando por cima da ausência de meu pai; isso não pode acontecer entre nós, também seria contra as nossas tradições.

– Mas vocês só podem estar brincando. Ora, Ventania, não suportamos mais essa vida – revoltou-se um índio mais exaltado que estava nas primeiras fileiras da plateia.

– Tenham calma, meus amigos e irmãos, tenham paciência! Prometo que vou dar um jeito nessa situação, e será logo. Vamos esperar a próxima lua grande e se meu pai não melhorar, acharemos uma solução para esse problema tão grave. Porém, é muito importante que esse encontro tenha ocorrido, pois ao menos vamos parar de dar trela para esses branquelos; vamos proibir as crianças de irem para a escola deles e as mulheres de aceitarem as comidas. Basta!

– Vamos, irmãos, vamos seguir as orientações de Ventania – exclamou Ibirajá, seu fiel amigo.

– Então vamos esperar a próxima lua grande, organizaremos um novo encontro e decidiremos o tempo certo de acabar com tudo isso.

– Irmãos, meu pai é o cacique de nossa tribo. E não farei nada enquanto ele estiver vivo e enquanto houver esperanças de que ele recupere sua saúde. Nós precisamos esperar a grande hora de seu retorno – concluiu Ventania, e todos aprovaram com gritos e movimentos com a cabeça.

Osmar Barbosa | 61

– Obrigado, irmãos, agradeço a todos pela compreensão deste momento tão difícil que eu e nossa aldeia estamos vivendo. Meu corpo clama por justiça, minha alma de guerreiro quer que façamos logo o que tem que ser feito para recuperarmos nossas tradições. Mas o momento não é apropriado, por isso precisamos esperar mais um pouco.

O encontro terminou com alguns ritos com cânticos e danças evocando e agradecendo aos espíritos do bem que acompanham os índios. As entidades que representam as matas, o vento, os raios, as águas e o solo são reverenciadas pelo ritmo dos tambores e pelos cantos típicos.

Após o encontro, todos retornaram para suas aldeias e retomaram suas rotinas como se nada tivesse acontecido. A reunião é mantida em segredo por todos. Esse segredo é sagrado para todos os índios.

Ventania retornou a cavalo para sua oca, acompanhado de perto por seu fiel escudeiro Ibirajá, montado em outro cavalo, mas que o observava com atenção, pois o caboclo ainda estava com muitos ferimentos no corpo.

Ao chegar à aldeia, Ventania vê de longe que Lua Vermelha está lhe esperando com a mesa posta na frente da sua oca. A mesa foi carinhosamente montada. Há uma grande travessa de comida ao lado de uma jarra contendo algum tipo de chá. Tudo feito com muito amor por sua doce amada. O coração do grande guerreiro não consegue se manter endurecido. Simplesmente se desabrocha em uma chama ardente de amor ao olhar aquela figura iluminada pela luz que sai de uma fogueira acesa à frente de sua grande oca.

Seus cabelos negros reluzem com as faíscas douradas em meio à noite escura. Seu rosto de menina desperta dentro deste caboclo um amor intenso que jamais fora visto no mundo. É algo transcendental que não se explica com uma vida apenas.

– Olá, meu amor, que coisa linda é esta que preparaste para a gente!

– Meu amor, por onde você andou? Estava muito preocupada. Você zanzando por aí com estes ferimentos... Você é doido, né?

– Calma, meu amor! Fui apenas dar uma volta com Ibirajá. Já estamos de volta, minha linda.

– Muito estranho você todo machucado andando por aí com meu irmão. Isso sem motivo algum. Muito estranho!

Ibirajá procurou disfarçar e mudar de assunto.

– Venha, Ventania, venha sentar-se. Veja, minha irmã fez um jantar superespecial para a gente. E preparou um chá de ervas que vai ajudar na sua recuperação.

Pegando-o pelo braço, Lua Vermelha o ajudou a entrar em sua oca e sentar-se na rede. Carinhosamente, ela ajudou seu amado a segurar o prato. Após um longo dia de muita luta e dor, ele enfim pôde descansar ao lado de sua amada. Ao terminar, Lua passou para ele o copo de barro com o chá aquecido.

– Agora beba o chá feito por sua mãe e vá descansar. Se você precisar de alguma coisa mande me chamar. Amanhã, logo cedo, venho ver se você melhorou e aproveito para aplicar ervas frescas em seus ferimentos.

Osmar Barbosa | 63

– Fique mais um pouco, Lua – pediu Ventania.

– Não posso, meu amor. Meu pai está muito preocupado com nossa situação. Quer que decidamos logo nosso casamento. Anda muito aborrecido e quer conversar com você, inclusive.

– Mas já conversei com ele algumas vezes. Temos que esperar meu pai melhorar para podermos nos casar. Não tenho em meu coração nada que não seja você. Você é a luz do meu caminho para sempre, por toda a minha vida. Seu pai pode ficar tranquilo quanto a isso.

– Meu amor, eu sei disso. Sabes o quanto te amo e o quanto quero viver contigo pela eternidade. Mas sabes como são meus pais, né? Ficam em cima, pressionando, regulando minha vida.

– É, eu sei. E eles têm razão. Mas assim que meu pai sair daquele hospital para realizar nosso casamento, celebraremos a nossa união conforme nossos costumes.

– Eu sei, meu amor. Eu te amo muito, Ventania.

Com suas mãos suaves e pequenas como uma rosa, Lua Vermelha acariciou o rosto de pele escura do caboclo Ventania e beijou-lhe a boca suavemente.

Algumas semanas se passaram com a rotina da aldeia acontecendo naturalmente. O que o conselho previu aconteceu. Por orientação dos caciques e pajés, as crianças e mulheres foram se distanciando dos homens brancos. É manhã na aldeia.

– Bom dia, Ventania! – acena Ibirajá ao encontrar com o caboclo.

– Bom dia, meu amigo! Avise a todos que vamos realizar uma pajelança pela cura de meu pai. Vamos aproveitar e fazer também uma festa de Mayra. Espero assim que meu pai retorne logo para a aldeia.

– Pode deixar, Ventania. Vou avisar a todos e providenciar a colheita de tudo para a realização da cerimônia e da festa.

– Não se esqueça de avisar as mulheres para prepararem tudo para amanhã à noite. Vamos aproveitar a entrada da lua nova.

– Deixa comigo, caboclo!

– Onde está Lua Vermelha?

– Foi até o rio pegar água fresca para você.

Dentro de seus conhecimentos espirituais, Ventania vai organizar a pajelança para pedir pelo bem de seu pai. Conhecedor dos xamãs, sabe que pode usar o ritual para o bem de quem estiver precisando. O poder da fé e da crença profunda nas forças da natureza consegue promover grandes feitos. Mas para isso acontecer, é preciso que todos estejam juntos na força da fé e da crença de que aquilo irá funcionar.

– Amor, tudo bem? Bom dia! Como você está? Você está se recuperando muito bem dos ferimentos causados pela onça. Muito bem! Agora veja se não se mete em confusão de novo.

– Se eu tiver que brigar com outra onça ou com quem quer que seja, saiba que não fugirei desse desafio.

– Ai meu Tupã! Pior que eu sei. Teimoso. Venha aqui. Trouxe água fresca para você e também um presente.

A linda cabocla trouxe dentro de um saco de pano feito pelas índias um presente para seu amado.

– O que é isso, Lua?

– É um presente que fiz para você. Anda, abre!

Ventania pegou das mãos de Lua um grande saco artesanalmente costurado e que trazia dentro um presente feito com muito amor e carinho por sua amada. Ele foi desfazendo o nó da corda que fechava a boca do saco enquanto trocava sorrisos com Lua Vermelha e comentava.

– Só você mesma para me presentear! Na verdade, você me presenteia todos os dias. Sua presença em minha vida já é o presente mais lindo que eu poderia ganhar.

– Obrigada, meu amor, por tudo. Mas abra logo esse saco – disse Lua Vermelha com um sorriso cativante.

Ventania então abriu lentamente o grande saco e olhou dentro para ver o que continha. Antes mesmo de tirar o presente trazido por sua amada, já estava todo feliz, sem conseguir disfarçar a alegria.

– Olha só que lindo, meu amor!

– Gostou? Ande, coloque para eu ver como é que fica.

Ventania colocou então sobre seus ombros a pele da onça, curtida e preparada como um casaco que cobre os ombros do guerreiro como um manto de guerra. Forrado com tecido feito pelas índias, na parte final dois cadarços trançados com linhas coloridas, delineando ainda mais o corpo musculoso e atlético do caboclo.

– Nossa, meu amor, ficou ótimo! – disse Ventania, todo orgulhoso.

– Você ficou lindo! A cada dia que passa te amo mais e mais, Ventania – se declara Lua Vermelha com os olhos brilhando de felicidade. E completou:

– Tem mais coisas aí dentro. Olhe.

– Não acredito que você perdeu todo seu tempo para preparar este presente para mim.

– Pelo seu sorriso e alegria sou capaz de ir ao inferno e voltar, meu amor. Você sabe o quanto te amo e o quanto te quero feliz.

– Me deixa ver o que mais tem aqui dentro. Não estou achando.

– Ai meu Tupã, deixa que eu pego! – contestou Lua Vermelha, tirando o grande saco das mãos de seu amado.

Foi então que ela tirou de dentro do saco algumas tiras coloridas por ela com tintas naturais, preparadas pelas índias, especialmente para o tingimento de tecidos.

– Veja, eu lhe trouxe essas tiras para enfeitar ainda mais seus lindos cabelos.

– Meu amor, você realmente me surpreende com tanto amor!

– Agora sente-se aqui que vou arrumar suas tranças.

Ventania sentou-se e Lua Vermelha delicadamente penteou os longos cabelos negros do caboclo, trançando-os de forma elegante e inserindo as tiras coloridas em um penteado típico indígena.

– Prontinho! Agora você está como eu gosto.

– Como assim? – disse Ventania, intrigado.

– Você está como eu gosto – insistiu Lua Vermelha.

– Mas como é que você gosta? – sorriu Ventania.

– Assim, ué, lindo demais!

Ventania tomou sua amada nos braços e beijou-lhe a boca por longos minutos. E assim permaneceram por algum tempo trocando carinhos e afeto de forma cúmplice e apaixonada.

– Ventania! Ventania! – Tarumã aparece chamando pelo caboclo na frente da sua oca.

Ventania vai até a porta.

– Fale, curumim, o que houve?

– Oi, Ventania, desculpe! Mas soube que teremos uma festa? Estão todos comentando e...

68 | O Guardião da Luz

– ... Sim, teremos uma festa, jovem menino. E daí?

– Então, queria saber se posso ajudar em alguma coisa...

– Pode sempre! Procure por Lua Branca. Ele poderá lhe solicitar ajuda nas tarefas.

– Obrigado, seu Ventania, muito obrigado – agradeceu então o pequeno índio correndo para procurar por Lua Branca.

– Amor, que festa é essa? – perguntou Lua Vermelha logo que Ventania retornou para a área interna da oca.

– Vamos fazer uma pajelança amanhã.

– Mas você não comentou nada comigo...

– Meu amor, prefiro beijar você a ficar falando de minhas decisões na aldeia.

– Mas sabes que gosto de ser informada de suas decisões, não é mesmo?

– Sim, sei sim, mas nunca te falarei tudo – afirmou Ventania, sorrindo de forma maliciosa.

– Você não tem jeito mesmo, Ventania – resmungou Lua Vermelha, sorrindo para seu amado. E finalizou:

– Bom, agora tenho que ir. Muitas coisas me esperam.

– Vá, meu amor. Vou ficar por aqui. Tenho algumas decisões a tomar e algumas orientações a dar – comentou Ventania.

Osmar Barbosa | **69**

E se despediram com um longo beijo apaixonado.

Durante todo o resto do dia o caboclo se manteve fechado em sua oca preparando-se para o ritual espiritual. Misturou diversas ervas e algumas raízes, preparando tudo o que seria usado na noite seguinte.

No dia seguinte, logo pela manhã, Ventania levantou bem cedo, antes ainda de o sol surgir no horizonte. Como costumava fazer naqueles dias em que precisava estar muito concentrado e dedicado em sua missão, Ventania caminhou algumas horas ao encontro do mar. Os índios acreditam que há uma entidade em cada um dos elementos e forças da natureza. O mar é uma das forças que protegem o jovem caboclo. Sua relação com essa fonte infinita de vibrações positivas vem desde a barriga de sua mãe, Jurema, que já nutria uma relação íntima e espiritual com essa entidade que se afeiçoa com o mar. A índia, quando grávida, costumava fazer esse mesmo trajeto que Ventania faz hoje.

Caminhava horas e já no caminho cantava cantigas em homenagem ao mar e sua força espiritual. As mesmas cantigas que Ventania canta hoje. Chegando à praia, Jurema sentava-se na beira, onde as pequenas ondas banhavam suas pernas. Com as mãos, pegava porções da água salgada e derramava sobre sua barriga, enquanto fazia aquele carinho de mãe que certamente Ventania já sentia, mesmo estando ainda lá dentro, aconchegado em seu ventre. E seguia cantando:

O mar quando vem até a praia

Ele chega como quem quer te abraçar

E quando com a maré ele retorna

É porque todo mal ele quer levar.

Ao chegar à beira do mar, Ventania se emocionou como geralmente acontece quando ele vai até a praia.

Além de se lembrar dos momentos com sua mãe, ele também se recorda de seu pai que sempre o levava, já na idade de um curumim, para ensinar-lhe as danças e rituais espirituais em homenagem à entidade do mar e à entidade das matas, outra das forças que protegem os índios e os inspiram a fazer o bem e seguir o caminho da evolução moral tão valorizada pelas famílias indígenas. Ventania ficou por alguns minutos proferindo preces e orações indígenas e pediu intensamente pela recuperação de seu amado pai que seguia enfermo. Pediu que as entidades iluminadas enviassem representantes para ajudá-lo nesse momento, contribuindo para sua recuperação com as forças da magia que podiam aplicar sobre o corpo de seu pai. E assim, por algumas horas, Ventania se concentrou na recuperação de seu pai e nos ritos que faria logo mais à noite na pajelança na aldeia.

Já mais tarde, de volta à sua oca, Ventania pintou todo o corpo com as tintas extraídas das plantas e das raízes. Em seus fortes braços fez desenhos de cobras, auxiliado por Tacaô, uma das mais velhas índias da tribo, conhecedora profunda das pinturas e seus significados.

A noite chega e toda a tribo está reunida em volta de uma enorme fogueira preparada pelos jovens da tribo. Só os homens participam da pajelança. As mulheres permanecem na grande oca feminina conversando e cuidando de alguns afazeres. Pelas tradições, nenhuma mulher pode ver o que acontece no ritual. Porém, todos conseguem ouvir o brado forte do caboclo Ventania.

Ele canta os mantras essenciais para a realização das danças. Tudo ensinado pelo seu velho pai. Seu cantar ecoa pela mata e todos podem ouvir o que está acontecendo dentro e fora da aldeia. Até mesmo os animais são atraídos e ficam na área da mata bem próxima da aldeia, como se estivessem hipnotizados pelo som forte do tambor e a voz em coro dos índios, puxados pela voz guia de Ventania.

Esses tambores são feitos no dorso dos troncos das árvores e ecoam, amplificando a energia de toda a pajelança. Todos os índios dançam e realizam o ritual. Vários pratos com comida são oferecidos aos ancestrais e às entidades que representam as forças da natureza, como forma de agrado, e todos pedem por proteção e cura das doenças que rondam a aldeia.

Ao final, quando tudo já está bem perto de terminar, só então as mulheres são trazidas para que todos possam beber, juntos, uma bebida preparada pelos mais velhos, extraída da cana-de-açúcar. Todos se divertem dançando pela noite adentro.

Ventania, índio guerreiro, é cercado por todos que querem tocá-lo para extrair de seu corpo a força do bem. Assim é a tradição. As índias ficam a tocar nas tranças coloridas do jovem e belo índio guerreiro. Lua Vermelha não contém o ciúme. De longe observa todas as índias a tocá-lo e isso a incomoda muito. Ao perceber que sua amada se afastava de todos, Ventania vai ao seu encontro.

– Que houve, Lua Vermelha?

– Nada!

– Como nada? Você não está participando de nossa festa.

– Estou sim. Só não me sinto bem.

Preocupado, Ventania a toma pelos braços.

– O que houve, menina?

– Não suporto ver outras índias tocarem seu corpo.

– Minha doce Lua Vermelha, isso é parte de nossos costumes. Além de tudo, elas precisam tirar esta força de mim e usar para todos os seus familiares.

– Não é só isso. Realmente não me sinto bem.

– O que está sentindo?

– Sinto-me enjoada. Tenho vontade de deitar.

– Então vá deitar-se; descanse, meu amor.

Tomando suavemente seu rosto em suas mãos, o caboclo beija seus lábios carnudos de forma calorosa.

– Pronto, agora passei para você toda a força de nossos ancestrais e logo você estará bem.

– Obrigada, meu amor. Vou deitar para ver se melhoro.

– Vá e sonhe com o nosso amor. Pena ainda não poder acompanhar você.

– Em breve poderemos viver juntos para sempre, amor.

– Isso! Boa noite, meu amor!

– Boa noite, Ventania. Te amo!

Lua Vermelha recolheu-se então para descansar. Ventania retornou para a pajelança para seguir com os ritos da grande noite para todos na aldeia. A festa continuou até o amanhecer. Vários índios se divertiram simulando uma luta entre si, como manda o ritual. Isso agrada aos mais velhos e, segundo os costumes, aos ancestrais.

Ventania se divertiu muito com seus irmãos e amigos, já totalmente recuperados da luta que teve com a onça. Seu corpo esbanjava vigor e saúde. Todos os índios respeitavam e festejavam ao lado do grande guerreiro Ventania.

"Quando sua fé estiver em Tupã,

sua infindável força residirá no

peito daquele que vence qualquer

tempestade, qualquer furacão,

qualquer dissabor que a vida pode

porventura lhe trazer."

Lua Vermelha

A Aldeia

Algumas semanas depois.

– Bom dia, Frei Daniel.

– Bom dia Ventania, bom dia Dona Jurema.

– Voltamos para ver meu pai – disse um esperançoso Ventania.

– Bom dia Daniel – diz Jurema de pé ao lado de seu filho, como que lhe dando força.

– Esperem aqui, por favor. Vou falar com os médicos para vermos se é possível vocês visitá-lo.

– Não peço permissão a ninguém. Simplesmente quero ver meu pai. Temos assuntos a tratar de nossa tribo.

– Calma Ventania. Espere, por favor.

– Percebemos que vocês realizaram uma festa durante toda a noite a algumas semanas atrás – comentou Daniel tentando acalmar o índio.

– Sim, realizamos uma festa em homenagem aos nossos ancestrais e às entidades que representam as forças da natureza.

– Olha, que curioso.

– Não tenho muito tempo. Preciso falar com meu pai – disse Ventania percebendo que Daniel estava puxando assunto para distraí-lo.

– Bom, pois bem, esperem aqui, por favor, que já volto.

– Fique calmo Ventania. Não vê que o bondoso padre só quer lhe acalmar.

– Estou calmo, minha mãe. Pode ficar tranquila.

Daniel saiu à procura dos médicos para informá-los da presença do índio Ventania. Após uma busca minuciosa pelas pequenas salas, finalmente encontrou o médico-chefe responsável por Lua Grande.

– Doutor, que bom encontrá-lo por aqui.

– Sim, Frei Daniel, em que posso ajudá-lo?

– Sabe o índio Ventania, filho de Lua Grande, está de volta e insiste novamente em ver o pai.

– Ele não pode receber visita. Está no isolamento e seu estado é muito grave.

– Eu compreendo. Mas temos um grande problema.

– Qual Frei Daniel?

– Acontece que este rapaz é o sucessor de Lua Grande na tribo. Além de tudo é muito rude e de difícil diálogo.

– Compreendo Frei. Mas realmente o estado dele é muito grave e deixar alguém entrar no isolamento pode agravar ainda mais sua situação, além do enorme risco de ser algo contagioso e que poderia dizimar toda a aldeia. Temos de ser muito cautelosos neste momento.

– Pois então, será que ele não poderia ver Lua Grande mesmo que a distância? A gente explicaria o que está acontecendo e permitimos que ele veja seu amado pai, mesmo que a uma distância segura para todos.

– Frei Daniel, sempre com essa bondade transbordando nesse coraçãozinho... Tá bom, eu vou pedir para as enfermeiras que preparem um lugar para que o jovem índio possa ver seu pai mesmo que a distância. Peça-o para esperar mais um pouco, por favor.

– Ótimo! Combinado! Vou explicar a ele que faremos desta forma. É o que podemos fazer neste momento.

Daniel caminhou ao encontro de Ventania que nervoso esperava pela autorização para entrar e ver seu pai.

– Ventania, conversei com o médico-chefe responsável pelo tratamento do seu pai. O estado de Lua Grande continua agravado e ele segue sem poder receber visitas pelo risco de piora ou de transmissão contagiosa, o que seria muito ruim inclusive para sua aldeia. Mas acalme-se, consegui algo junto ao médico: você poderá vê-lo à distância, se assim o quiser, ainda que não se aproxime dele porque o local em que ele está é uma área de isolamento e isso é para o seu próprio bem.

– Sabia que isso que vocês estão fazendo aqui acabaria com a saúde de meu pai. Estive aqui outro dia com os remédios necessários para o seu pronto restabelecimento e você me negou a ajudá-lo.

– Ventania, fique calmo, por favor. Infelizmente as coisas não são assim. Estamos fazendo o possível para salvar a vida de seu pai.

– Desde os tempos antigos nós tratamos e cuidamos de nossos doentes e todos ficaram bem até hoje. Nossas ervas, nossas rezas e nossa comida é o que faz bem aos índios. E você, padre, reze para esse seu Deus para que meu pai fique bom. Caso contrário, eu mesmo expulsarei todos vocês de nossas terras.

– Ventania, seu pai é um homem velho, porém muito forte e tenho fé em nosso Deus que ele ficará bem dentro de pouco tempo. Você vai ver.

– Faça isso, padre, faça isso – afirmou Ventania visivelmente irritado e com um tom claramente ameaçador.

A conversa foi então interrompida pela enfermeira que chegou para avisar que estava tudo pronto para a visita.

– Venha, Ventania, você poderá ver seu pai – convidou Daniel reforçando o chamado com as mãos estendidas na direção do jovem caboclo.

Eles caminharam juntos até a área de isolamento do ambulatório e Ventania finalmente pôde ver seu pai, mesmo que de longe. A imagem que ele presenciou o deixou muito chocado e entristecido. Lua Grande estava muito debilitado, magro, pálido e praticamente sem nenhum sinal de vida, Lua Grande estava em um estado assustador. Ver seu pai naquela situação deixou Ventania completamente atordoado.

Rapidamente ele afastou-se do hospital sem nem mesmo agradecer a Daniel pela oportunidade de ver seu pai. Contrariado e aborrecido, Ventania quis se afastar de tudo e de todos, isolando-se no meio da mata para conversar com os espíritos de seus ancestrais. E colocou-se a conversar com os espíritos da floresta pedindo por seu auxílio.

Ventania decide então ir novamente para o encontro do mar, para onde sempre recorria com o objetivo de revigorar-se e meditar, pedindo auxílio e sabedoria para as decisões que agora atormentavam ainda mais seu coração de guerreiro. Antes, retornou à sua oca para recolher alguns objetos necessários para sua viagem e estadia. Ele pretendia ficar alguns dias afastado, em um encontro com seu íntimo ser. Mandou um curumim chamar Ibirajá imediatamente. Logo o fiel amigo foi ao seu encontro.

– Oi Ventania, como você está? O que houve?

– Amigo, avise a Lua Vermelha que vou para perto do mar.

– Mas, como assim? Quando você vai?

– Estou partindo e ficarei por lá alguns dias.

– Pode deixar aviso a todos. Mas o que houve?

– Nada, só preciso de alguns momentos a sós comigo mesmo. Assim que voltar faremos uma nova reunião para decidir o destino de nossa tribo.

– O que te fez pensar assim?

– Meu pai. Ele está praticamente morto.

– Oi? Como assim? Ele não está sendo tratado pelos médicos dos brancos?

– Sim, mas seu estado é muito ruim. Não sei se ele conseguirá sobreviver.

– Tenha fé meu amigo, meu irmão. Nosso ritual há de surtir efeito sobre os doentes de nosso povo e principalmente sobre seu pai.

– Sim, ainda mais por isso vou ao mar, vou pedir por ele.

– Então, vá Ventania, estaremos aqui te esperando.

– Não se esqueça de avisar a Lua Vermelha.

– Pode deixar, ela está em casa e ainda não se levantou.

Ventania montou agilmente em seu cavalo Trovoada e saiu em disparada na direção do encontro com o mar.

Mais uma vez o caboclo Ventania retorna ao seu oráculo diante do mar. Só que dessa vez, com a ideia de ficar algunas dias e não apenas algumas horas como de costume. Nessas ocasiões, a imersão no universo dos espíritos dos seus ancestrais é mais profunda e íntima. Ventania se isola do mundo real para ficar mais próximo do mundo paralelo.

É nessas visitas mais longas ao mar em que Ventania toma suas decisões mais difíceis. Ele gosta de ficar a observar as ondas do mar e decidir o destino da tribo. Foi justamente seu amado pai que o ensinou que as grandes decisões devem ser tomadas com calma e paciência. E que, às vezes, o melhor que se pode fazer é distanciar-se do problema para observá-lo de outra forma, de um novo ângulo, sob uma nova perspectiva. Sendo assim, sempre que alguma grande e importante decisão precisava ser tomada, algo que fosse impactar a vida de centenas de pessoas, o grande Cacique Lua Grande viajava para a costa e ficava longe de todos, para se concentrar e também tomar suas decisões.

Para esses retiros espirituais, Ventania optava por um local próximo ao mar ainda mais distante que o que ele costuma ir a visitas mais rotineiras. Para este local do retiro, o tempo de viagem é de algumas horas a mais em galope rápido até a praia. Após viajar sem parar para o descanso, Ventania chegou durante a noite em seu destino.

Sentado em um grande rochedo à beira do mar, o índio conversou com as ondas e depositou nelas toda a sua sabedoria, coragem e determinação em lutar sempre por seu povo e por seus ideais.

A lua acariciava as ondas prateadas enriquecendo de beleza e paz transcendental todo o lugar. Ventania pediu aos espíritos das águas salgadas que levassem para bem longe as vibrações de baixa densidade da doença de seu pai e que desse a ele a oportunidade de viver entre eles por mais algum tempo.

Depois das orações e preces, Ventania escolheu uma área de areia onde passaria a noite. Fez uma pequena fogueira e tirou de um saco que carregava amarrado em Trovoada alguns pedaços de pão que foram feitos na sua tribo.

Alimentou-se com o pão e alguns goles de uma bebida feita a partir de frutas fermentadas. Dormiu aquela noite, acariciado pelo som suave das ondas à beira do mar como se as entidades dos espíritos das águas salgadas lhe fizessem carinho por toda a noite.

Logo ao amanhecer, Ventania decidiu caminhar puxando pelas mãos as cordas que estavam amarradas o seu lindo cavalo e distanciou-se ainda mais do seu povo. Caminhou durante toda a parte da manhã, ficando muito distante de tudo e de todos. Durante três dias inteiros ele só fez se afastar de tudo que pudesse atrapalhar a sua concentração e a sua conexão espiritual com os seres de outros planos.

Ventania tinha cada vez mais consciência que, caso seu pai viesse realmente a morrer, ele teria pela frente o maior desafio de sua vida. E ele uma de suas primeiras decisões seria, sem dúvida nenhuma, o que fazer com os padres e com a aproximação do homem branco. Seu coração batia acelerado. Em plena consciência de que qualquer coisa que fizesse teria consequências. E muitos na tribo, inclusive Lua Vermelha, talvez não aprovassem suas decisões.

A saudade de sua amada invadiu seu peito e um sorriso se expôs em seu rosto ao lembrar-se daquela menina que ele tanto ama e respeita.

Após o quarto dia de isolamento total, Ventania decidiu retornar ao convívio social. No trajeto de volta encontrou um grande ninho de gaivotas brancas sobre uma árvore bem alta. Reconheceu a existência do ninho pelo som da ave. Escalou a árvore com uma corda feita de cipó e alguns movimentos rápidos. Chegando ao topo da árvore com muita destreza, decidiu levar dois filhotes gaivota, um para ele e outro de presente para Lua Vermelha.

Seu pensamento voltou-se fortemente para a sua linda amada. A saudade apertou seu peito e o jovem índio acelerou ainda mais o galope de Trovoada, seu lindo cavalo marrom riscado com linhas brancas pelo dorso, para poder chegar logo e abraçá-la.

84 | O Guardião da Luz

Imagens revoaram em sua mente. Recordou-se dos lindos olhos amendoados de sua amada. Seus cabelos lisos, seu corpo de menina moça, com suas curvas joviais e envolventes. E principalmente seus lábios carnudos e roseados em parte.

Todos na aldeia estão à espera de Ventania. Lua Vermelha adoeceu enquanto o caboclo esteve fora. Jurema está muito preocupada. Ela ficou todas as tardes a olhar para a trilha que chega do litoral, esperando que seu filho aparecesse a qualquer momento por ali. O pior é que todos estão ainda mais tensos por saberem que Ventania não ficará nada satisfeito quando descobrir que Aruá levou Lua Vermelha para ser tratada no hospital dos brancos. Jurema é a esperança de todos. E ela assumiu para si a responsabilidade sobre Lua Vermelha.

Argumentou com todos da tribo que Ventania é seu filho e que ele vai entender quando ela lhe explicar os motivos.

Galopando velozmente Ventania finalmente surgiu na cabeça da trilha e rumou como um raio pelo descampado que leva para mais perto da aldeia.

Adentrou sua tribo e dirigiu-se diretamente para a oca principal, onde estavam muitos dos companheiros de sua tribo. Embora preocupados com a chegada do caboclo por causa de Lua Vermelha, a alegria tomou conta da aldeia.

Tarumã correu a avisar a Jurema da chegada de seu filho, que foi na mesma hora ao encontro de Ventania.

– Querido filho, que bom que você está de volta.

– Olá, minha mãe. Como vocês passaram durante a minha ausência em retiro espiritual?

E Jurema não perdeu tempo e foi direto ao ponto.

– Filho, preciso muito conversar com você sobre Lua Vermelha.

– O que houve? – perguntou Ventania com a voz já embargada de preocupação.

– Ela adoeceu de forma repentina na sua ausência, meu filho.

Em um gesto muito rápido, sem dizer nenhuma palavra, Ventania adentrou na oca e correu para o leito de Lua Vermelha desesperado para ampará-la e cuidar dela.

– Onde ela está? Cadê ela mãe?

Seguido por Jurema que entrou na oca e logo pegou seu filho pelos braços, olhando fixamente em seus olhos.

– Ventania, ela está com os médicos dos padres.

– O que? Você ficou louca? Como pôde fazer isso? Vocês enlouqueceram de vez?

– Calma meu filho, por favor, mantenha a calma.

– Calma o quê, minha mãe. Eles vão matar Lua Vermelha.

– Não meu filho. Ela está sendo assistida pelos médicos e logo estará melhorando.

86 | O Guardião da Luz

– Mas eu vou é buscá-la agora neste instante.

– Não faça isso, por favor, meu filho.

Rapidamente Ventania subiu de volta em Trovoada, que estava bebendo água na praça central da aldeia, que ficava em frente à oca principal, e dirigiu-se velozmente como um sopro de vento forte ao hospital onde está Lua Vermelha.

Vários índios ao verem a atitude do caboclo pegaram seus cavalos e seguiram ao hospital para acompanhar seu líder.

Ao chegar ao hospital dos brancos, Ventania saltou como um raio de seu cavalo Trovoada, o que fez com que levantasse muita poeira da estrada de terra. Depois de amarrá-lo rapidamente, adentrou a sala de espera do ambulatório de forma abrupta e gritando indagou à enfermeira que lá estava.

– Onde está a minha Lua Vermelha?

– Acalme-se senhor índio. Vou chamar o Irmão Daniel – disse a enfermeira assustada com a voz elevada e com a cara de enfurecido que Ventania estampava no rosto.

– Pois que chame logo. Quero falar urgentemente com ele. Vim buscar Lua Vermelha. Onde ela está?

– Por favor, senhor, mantenha a calma.

– Chame logo o padre.

Osmar Barbosa | 87

– Espere estou indo. Já volto. Se acalme.

Apressadamente a jovem enfermeira saiu a encontro de Daniel.

– Daniel, Daniel, graças a Deus que o encontrei logo. Sabe aquele índio brabo? Ele está aí e disse que vai levar a moça indiazinha com ele de qualquer jeito.

– Onde ele está?

– Lá fora, na recepção do ambulatório. Os enfermeiros estão a segurá-lo porque ele está muito bravo.

– Vou falar com ele. Já estava esperando sua chegada.

No mesmo segundo, Daniel dirigiu-se a entrada do hospital e pediu aos enfermeiros que se afastassem.

– Obrigado, senhores. Agora me deixem a sós com o nosso amigo Ventania.

– Amigo coisíssima alguma. Não sou amigo de gente que fica roubando minha gente, minha família, tudo que tenho de mais sagrado. Vim buscar minha noiva Lua Vermelha e vou tirá-la daqui agora. Por bem ou por mal.

– Fique calmo, Ventania.

– Não vou ficar calmo não. Vim para buscá-la agora.

Logo o médico que atende Lua Vermelha aproximou-se do grupo e interrompeu Ventania.

– Você que é o noivo dela?

– Sim, sou eu, por quê?

– Seja bem-vindo Ventania. Sua noiva está bem melhor e você pode conversar com ela. Agora fique calmo, por favor, e venha comigo.

Ventania acalmou-se e foi acompanhado pelo médico e Daniel até o leito onde estava Lua Vermelha. Logo chegaram à sala onde vários pacientes estão em recuperação. Ajoelhando-se próximo a seu leito a tomou pelas mãos.

– Meu amor o que houve? Como veio parar aqui no hospital durante minha ausência?

– Querido, meu amor, ainda bem que você chegou Ventania. Estava doída de saudade.

– Eu também meu amor. Diga-me o que tens?

– Não sei bem o que houve ainda. Desde o dia em que você se foi estou estranha. Depois fui ficando mais fraca. Não conseguia comer e sentia muita dor na barriga.

– Vou preparar umas ervas para você. Você vai melhorar. Você vai ver.

– Já me deram remédio e já me sinto melhor.

– Mas vim te buscar e vou te levar daqui. Quero eu mesmo cuidar de você. Esses médicos estão a matar meu pai e não vão fazer o mesmo com você.

Osmar Barbosa | 89

– Não diga isso, seu pai ainda estar vivo é sinal de que está sendo bem cuidado.

Logo grande confusão se forma na entrada do pequeno hospital. Vários índios estão a chegar. À frente, Jurema tenta controlar a situação.

Daniel é interrompido por uma jovem enfermeira que chega ofegante e preocupada com a confusão a frente da unidade hospitalar.

– Daniel há um grupo de índios a frente do hospital e estão querendo entrar de qualquer jeito.

– Meu Deus, olha só o que você fez Ventania – disse Daniel olhando fixamente para Ventania.

– Não tenho culpa. Vocês é que fazem isso. Ficam se metendo onde não devem e nós já não suportamos mais a presença de todos vocês aqui.

– Mas nós só estamos aqui para ajudá-los.

– Nós não queremos a ajuda de vocês.

Logo Lua Vermelha interrompe o diálogo entre os dois.

– Doutor eu posso ir para a aldeia com eles?

– Sim, pode sim. É melhor assim. É só você tomar os remédios que vou te dar e logo estará reestabelecida.

– O que eu tenho?

– Chamamos de disenteria.

– O que é isso doutor?

– É quando comemos alguma coisa estragada ou mal cozida. Nosso organismo responde expulsando o alimento de dentro de nós é uma defesa, só isso.

– Então vamos meu amor, leve-me para casa – disse Lua Vermelha olhando dentro dos olhos de seu amado.

– Avise a todos que estão a frente do hospital, que já estamos indo, por favor, enfermeira – orientou Daniel.

– Agora junte suas coisas e vamos – disse Ventania um pouco mais calmo.

Logo os dois dirigiram-se pelo estreito corredor até a porta principal. Ventania chegou à frente trazendo consigo Lua Vermelha e todos se acalmaram. Cuidadosamente Ventania e Jurema conduziram Lua Vermelha até sua oca na aldeia. Delicadamente seu pai a colocou em sua rede e pediu para ela descansar.

– Vou preparar um chá para você e logo estarás bem – disse Ventania, que em seu momento de ira nem se lembrou de perguntar pelo seu pai.

– Meu amor basta eu tomar estes remédios que o médico mandou e logo estarei bem. Estava com muitas saudades de você.

– De qualquer forma, vou preparar os chás para você beber. Eu estava no mar organizando meus pensamentos e nem pude te ajudar. Mas precisava muito desse momento de isolamento.

– Eu sei. Não se preocupe meu amor. Compreendo a necessidade de seu isolamento espiritual. Prepare meu chá, por favor, que vou tomar e descansar. Logo estarei bem.

Ventania foi até um pequeno fogão a lenha feito de barro que já estava com um pote de água aquecida sobre ele. Carinhosamente olhou para sua amada e disse.

– Já está quase pronto, Lua. Deixa comigo.

– Obrigado, meu amor.

Muito abatida, Lua Vermelha adormeceu em sua rede poucos minutos depois de terminar de beber toda a cumbuca de chá que Ventania preparou especialmente para ela. Ventania aproveitou que ela adormeceu para ir até a sua oca e recolher mais algumas ervas para preparar um procedimento diferente para a melhora de sua amada. Era preciso muitos cuidados para Lua Vermelha se recuperar logo.

Ventania preparou uma mistura especial de ervas e colocou-a, dentro da ponta de um cachimbo longo feito de bambu e barro. Começou então a barrufar a fumaça por sobre todo o corpo de sua amada dos pés a cabeça, repetindo calmamente e por diversas vezes o mesmo movimento.

Cerca de umas duas horas depois, Lua Vermelha despertou do sono recuperador. Ainda muito fraca e com o olhar lacrimoso, olhou profundamente para Ventania e pediu ainda meio entorpecida para seu amor.

– Ventania, eu não posso viver sem você.

– Fique calma, Lua Vermelha, você vai ficar bem. Pode deixar comigo. Confie em mim. Eu não descansarei enquanto não ver você melhorar dessa enfermidade.

Lua Vermelha logo voltou a adormecer e Ventania continuou com os rituais de cura. E assim aconteceram pelos próximos dois dias. Ele não arredou pé de perto de Lua Vermelha nem por um momento. Realizou toda sorte de ritos e procedimentos para ajudar no pronto-restabelecimento de sua amada. Lavou a todo o momento seu corpo com uma mistura de ervas que servia para espantar os maus espíritos, os espíritos da morte.

E na manhã do terceiro dia, finalmente Lua Vermelha acorda um pouco mais disposta. O primeiro olhar que recebe logo que abriu os olhos é de seu caboclo favorito, que a todo tempo esteve a seu lado, e agora abre um enorme sorriso de satisfação ao vê-la melhorando.

– Bom dia meu amor. Você não imagina como sonhei com a sua melhora. Que alegria ver seus olhos brilhando novamente para mim.

– Meu amor, você cuidou de mim com tanto amor que não tinha como eu não melhorar.

– Você está se sentindo melhor, meu amor?

– Sim, estou bem melhor.

– Fico feliz demais, Lua. E agradeço muito também aos bons espíritos dos nossos ancestrais que intercederam pela sua recuperação.

Osmar Barbosa | 93

– Preciso tomar um banho no rio. Você pode me levar?

– Sim, amor, claro, é pra já – Ventania diz já se levantando e esticando a mão para Lua se apoiar. Ele então a abraça e em um movimento rápido passa o outro braço sob suas pernas e ergue sua amada no em seus braços para carinhosamente levá-la no colo até o dorso do Trovoada. Todos que esperavam pela recuperação da pequena índia, ficam felizes em vê-la recuperada passando sobre o cavalo de Ventania, que o puxava a frente pela rédea.

Ibirajá, e outros índios que faziam campana em frente à oca de Lua Vermelha, ficaram emocionados e saíram gritando por toda a aldeia que Ventania havia curado sua amada, Lua Vermelha, e que todos deveriam seguir para a beira do rio para presenciar como a índia estava bem e recuperada. Logo o leito do rio foi tomado por centenas de índios que vibraram muito, ecoando gritos de alegria pela recuperação de Lua Vermelha.

O caboclo Ventania foi saudado por todos como o grande curandeiro que era. Uma grande festa começou a ser preparada para aquela que seria uma das noites mais felizes para todos na aldeia. Aruá e Raio de sol, pai e mãe de Lua Vermelha, não pararam um segundo de dizer que Ventania deveria assumir logo o comando de toda a tribo, pois a aldeia precisava voltar a ter um líder urgentemente.

E, além de um líder carismático nato, Ventania ainda era um curandeiro de mão cheia. Afinal, os tratamentos dos padres não curaram Lua Grande e Ventania curara Lua Vermelha em alguns dias. Ventania estava pronto para representar todos os índios e para conduzir a aldeia adiante, liderando os índios.

Logo o feito de Ventania espalhou-se por toda a região chegando a ser reconhecido em outras tribos irmãs que viviam nas redondezas. Todos queriam conhecê-lo, ou estar perto do grande índio guerreiro, caçador e curandeiro.

Passado alguns dias, um grupo de índios Temperara aproximaram-se da aldeia e pediram para chamarem o caboclo Ventania, pois desejavam falar-lhe. Ibirajá é o representante dos amigos de fora. Ventania prontamente pediu para que eles fossem autorizados a serem levados até a grande praça central da aldeia.

– Ventania olha quem veio falar com você – gritou de longe Ibirajá.

No que Ventania retrucou ao avistar um grande amigo de longa data.

– Querido amigo Cauiré Imana, como está?

– Meu amigo, Ventania. Estou bem. Precisava muito falar com você.

– Sim, claro. Vamos para minha oca e lá podemos falar.

Ventania e Cauiré caminharam pela praça até chegarem à oca de Ventania que fica do outro lado da grande clareira central da aldeia. Lá chegando, Cauiré foi direto ao ponto. Os índios costumam não perder tempo com muitas voltas ou churumelas. São geralmente bem diretos e assertivos, sem meias palavras.

– Ventania, você sabe, eu sou o cacique da minha tribo, o que me enche de alegria e orgulho. Você sabe também que sou um índio guerreiro e um amigo muito fiel de seu pai Lua Grande. Nós já enfrentamos grandes batalhas e desafios juntos.

– Sei disso, Cacique Cauiré. Sei muito bem. Meu pai sempre se referiu a você com enorme estima e carinho. O que fez com que eu tivesse muita estima e carinho por você também. E sinto-me muito feliz com sua visita.

– Pois bem, Ventania. Sabemos de seu poder e de sua força. E não queremos mais nossas jovens e nossas crianças com os padres. Vim aqui para conversar com você porque decidimos expulsá-los daqui e não queremos problemas com você. Conheço seu pai e todos dessa aldeia. São meus amigos. Mais do que amigos: são meus irmãos.

– Mas vocês não podem fazer isso, Cauiré – disse Ventania.

– Sabemos de seu poder, mas temos certeza que não precisamos mais desses por aqui. Em breve você será o líder e cacique maior de todos estes povos. Poderá cuidar de todos os seus. Mas queremos nossas crianças de volta. Nossas índias estão tristes, cabisbaixas, sem seus filhos. E os padres não nos deixam ficar com elas. Várias já adoeceram e algumas até morreram com as doenças dos brancos. Estamos muito tristes e revoltados com tudo o que está acontecendo por aqui.

– Amigo Cauiré Imana, meu pai está com os Padres. Ele está muito doente. Minha mãe vive a chorar pelos cantos da aldeia porque acha que ele não voltará para nós. Eu e meus amigos já combinamos um tempo certo para tudo acontecer. Se até a próxima lua grande meu pai não voltar ou não ficar curado, nós mesmos expulsaremos esses padres daqui.

– Então é isso. Deixe-nos ajudá-los nessa tarefa. Há dias tenho viajado entre as tribos irmãs conversando com todos os caciques. Todos estão com o mesmo sentimento. Esse misto de revolta e tristeza. Por isso estou muito certo da necessidade de todos nos unirmos para fazermos algo. Mas com todo respeito que tenho por seu pai, não fiz nada ainda esperando este momento em que conversando e ouvindo sua opinião pudéssemos decidir junto o que e quando faremos.

– Cacique Cauiré, eu apoio você e sua ajuda é fundamental para que possamos expulsar definitivamente estes que tomam nossos meninos e nossas meninas, mentindo que querem que eles se tornem cultos e sabidos. Sabemos que cultura de índio é a melhor coisa para todos os nossos. Isso sem falar nessas doenças e no isolamento do meu pai. Compreendo e concordo com o amigo, mas devemos esperar a hora certa para agirmos – concluiu o caboclo Ventania. E depois de refletir por alguns segundos, voltou a conversar com o grande cacique Cauiré.

– Agora, Cauiré, volte para a sua aldeia e assim que eu decidir a hora que vamos agir eu mando te avisar. Vamos esperar a lua grande, vamos esperar o dia de reverenciarmos Tupã e então agir.

– Isso mesmo, Ventania. Ficamos combinados assim: quando for a hora certa estaremos prontos para guerrear e tomarmos nossas crianças e nossos costumes todos de volta. Temos que agir com muito cuidado e precaução. Estarei a esperar o seu aviso, Ventania.

– Fique tranquilo amigo Cauiré Imana, que não farei nada sem avisar a você.

– Obrigado, meu jovem amigo Ventania. Saiba você que estou muito saudoso de seu pai. Sinto muitas saudades das longas conversas que tínhamos nas noites de lua cheia em volta da fogueira.

Ambos levantaram e esticaram as mãos em riste. E foi com um aperto de mão entre os dois que o acordo foi celado. Depois, enquanto fumavam juntos um cachimbo feito com misturas de ervas desidratadas, os líderes conversaram outros assuntos, e Ventania pôde escutar algumas histórias do seu velho pai.

Logo após Cauiré deixar a aldeia com seu grupo, a noite começou a chegar silenciosa. Muito preocupada com a inusitada visita do famoso cacique Cauiré Imana, Jurema não se conteve e correu para conversar com seu filho e tentar saber o que trouxe-o até a aldeia para concersar com Ventania.

– Ventania, o que o cacique Cauiré Imana queria com você, menino? Conte-me, anda…

– Ora, mãe, por favor. Nada demais – resmungou Ventania.

– O que eles queriam Ventania? Anda, desembucha menino. Fala-me logo de uma vez.

– Nada, mãe, minha nossa, ele só veio aqui reclamar dos padres e de tudo que vem acontecendo.

– Olha aqui, Ventania, veja se vocês não me arrumam encrenca nenhuma. Afinal, seu pai está sendo tratado por eles. Pense nisso, por favor.

– Eu sei mãe. Fique tranquila que nada irá acontecer sem minha permissão. Está tudo acertado.

– Por favor, hein, Ventania. Agora você precisa descansar. Já coloquei Lua Vermelha na cama. Ela está bem melhor. Graças a Deus Tupã, o grande.

– Sim, mãe, fique tranquila que já vou descansar.

Antes de dormir Ventania fez uma prece a todos os deuses da natureza, pedindo orientação e proteção sobre todas as decisões que precisa tomar.

Grande Tupã, Deus do amor e Deus da

guerra, proteja-nos de todos os males da

Terra. Cuidai de nossas florestas, regai

minhas lavouras e enviai vossos pássaros

para alegrar todas as manhãs de nossa

aldeia com seus cantos.

Iluminai minhas decisões. Que a chama

da guerra esteja sempre presente em meu

pulso para que meus inimigos não tenham

forças sobre mim.

Olhai pelos que amo e protegei-nos das

tempestades e das revoltas.

A tí, Tupã, Deus de amor.

Osmar Barbosa | 99

Logo ao acordar, Ventania saiu à procura de sua amada.

– Bom dia, Lua, meu amor, está tudo bem?

– Bom dia meu amor. Estou muito melhor.

– Dormiu bem? – perguntou preocupado Ventania.

– Sim, me sinto bem, ainda um pouco fraca, mas bem melhor, Venta.

– Alimente-se que ficará logo logo bem por completo.

– Estou fazendo isso. Minha mãe está cuidando de mim também, além de todo seu cuidado e carinho, amor.

– Isso me deixa muito feliz, Lua. Pois bem. Vou tratar de alguns assuntos da tribo e depois irei com minha mãe visitar meu pai, tá? Mais tarde estarei aqui ao seu lado te ajudando.

– Olha, vem cá, tenha paciência com os padres, viu? Eles foram muito gentis comigo em sua ausência.

– Pode deixar Lua Vermelha.

– Fique tranquilo que logo estarei com a saúde restabelecida e tomarei conta de tudo o que você precisa para ser feliz.

– Lua, meu amor por você cresce mais a cada dia. Não consigo mais viver nem um só momento longe de ti.

– Meu amor por você é do tamanho da lua, Ventania, que clareira todas as

100 | O Guardião da Luz

nossas noites com sua beleza e resplendor.

– Te amo, minha querida Lua.

– Te amo muito, Ventania.

– Agora descanse que vou sair, mas volto logo mais.

– Vá, amor, estarei aqui sempre te esperando. E não preciso mais de descanso agora. O que preciso é de alimento – disse Lua Vermelha com um sorriso cativante no rosto, o que logo arrancou um belo sorriso do jovem caboclo Ventania.

– Muito bom ouvir isso. É sinal que já estás recuperada.

– Sim, parece que tenho uma onça em minha barriga. Estou com muita fome.

– Cuidado com o que você vai comer.

– Vou comer frutas.

– Isso mesmo, coma frutas. Quando voltar do hospital, volto para te ver.

– Vá meu amor estarei te esperando.

Ventania saiu então ao encontro de sua mãe e juntos seguiram para o hospital dos brancos para visitar Lua Grande.

"Sede fiel até a morte, e dar-te-ei a coroa da vida..."

Apóstolo Paulo

A Dor

Após caminharem por mais de quarenta minutos, Ventania e Jurema chegam finalmente ao hospital onde são prontamente recebidos pelo sempre simpático Frei Daniel.

– Daniel...

– Olá, Ventania, vejo que trouxe sua mãe para visitar seu pai com você.

– Sim, viemos para vê-lo.

– Vou chamar o médico que está cuidando dele para conversar com vocês. Como está Lua Vermelha?

– Ela já está bem.

– Olha só, fico muitíssimo feliz com essa notícia. Agora vou avisar ao médico que vocês chegaram.

Daniel caminhou para dentro do corredor principal do ambulatório à procura do médico que cuidava de Lua Grande, enquanto Ventania e Jurema bebiam um copo de água oferecido por uma enfermeira da recepção. Ele o encontrou ao lado do leito do paciente.

– Olá, Dr. Marcos, estava a lhe procurar.

Osmar Barbosa | 105

– Olá, Daniel! O que houve?

– Ventania e Jurema estão lá fora querendo visitar o velho índio Lua Grande.

– É muito bom que eles estejam aqui, pois infelizmente há poucas horas de vida para este pobre homem.

– Como assim?

– Frei, acho que ele não passa de hoje.

– Meu Deus, que lástima! Muito triste isso. E também teremos que ter muito cuidado com o jovem índio. Ele é muito rebelde e dificilmente irá aceitar com tranquilidade a morte de seu pai por qualquer motivo que seja.

– Frei Daniel, nada mais pode ser feito. O velho índio está com infecção generalizada. Nenhum antibiótico faz efeito. Já fizemos tudo o que podia ser feito para tentar reverter esse grave quadro clínico. Não há mais o que fazer, infelizmente.

– Ele não vai aceitar facilmente esta notícia – confessou realmente preocupado Frei Daniel.

– Permita-me que eu mesmo converso com eles.

– Vamos juntos. Mas vá com calma, por favor!

– Sim, claro, pode deixar.

Dr. Marcos era o novo médico-chefe responsável por todo o hospital montado pela missão capuchinha. Defensor partidário da medicina moderna, não acreditava no poder das ervas e em tudo mais que era usado pelos índios para os processos de cura. Considerava tudo um desperdício de tempo. Confiava, sim, na ciência e no poder da medicina química e ortodoxa na cura das pessoas enfermas.

Logo os dois chegaram à sala de entrada onde Ventania e Jurema os aguardavam.

– Olá, você deve ser o senhor Ventania, e a senhora a dona Jurema. Sou o doutor Marcos – disse estendendo a mão para cumprimentá-los.

– Ventania, cumprimente o moço – cobrou sua mãe, já que a mão do médico pairava no ar à espera do cumprimento.

– Sim, pode falar, onde está meu pai? Já podemos ir vê-lo? – Ventania resmungou sempre de forma seca e direta.

– Infelizmente seu pai não teve melhoras em seu quadro clínico e há pouco tempo vem desenvolvendo uma infecção generalizada. Dificilmente conseguiremos salvá-lo.

O sangue de Ventania ferveu em suas veias. A vontade era de voar no pescoço do médico e exigir que seu pai fosse salvo. Jurema, ao perceber o estado em que Ventania ia ficando, tratou logo de se aproximar do filho e acalmá-lo o quanto pudesse. A mãe bem conhece seu filho. Ventania então recobrou as forças para falar.

– Você está me dizendo que meu pai está morrendo?

– Infelizmente, sim. Não há nada mais que possamos fazer. Ele não reage mais à medicação, embora tenhamos trocado diversas vezes para tentar surpreender as causas da infecção generalizada.

– Quero ver meu pai agora! – disse o caboclo, irritado.

– Pode ir vê-lo sim – respondeu o médico, já um pouco tenso.

Frei Daniel fica atônito e não sabe o que fazer.

– Venha mãe, vamos.

Jurema não se conteve mais e caiu em lágrimas, pôs sobre o rosto as duas mãos, profundamente desesperada com a notícia. Ventania puxava sua mãe pelo braço enquanto entravam juntos na enfermaria em que Lua Grande repousava seus últimos momentos de vida. Daniel acompanhou tudo de perto, em silêncio e orando com muita fé, em pensamento.

Ventania debruçou-se de forma dramática sobre o corpo enfraquecido e esquálido de seu pai e começou a proferir um mantra indígena meio cantado, meio falado, evocando os espíritos de luz para que ajudassem seu velho. Sua mãe, Jurema, segurou firmemente as mãos do pobre homem em seu último suspiro de vida. Quando, de repente, duas pequenas palavras rasgaram a sala como uma navalha afiada.

– Meu filho…

Dr. Marcos e Frei Daniel não puderam acreditar no que estavam vendo. Lua Grande não abria os olhos havia meses, o que dirá proferir algumas palavras. Os dois ficaram apreensivos sem entender o que estava acontecendo. Ventania levantou o rosto, que estava deitado sobre o peito do pai, e olhou lentamente para o rosto de Lua Grande que estava nitidamente fazendo muito esforço para conseguir abrir os olhos o mínimo que fosse e continuar falando mais algumas palavras valiosas.

– Meu filho... chegou a sua hora. Eu tenho que partir. Não se preocupe, pois já sei que nossos ancestrais estão a me esperar para me acolher e me ajudar. Estarei bem.

Lua Grande sussurrava cada sílaba com muita dificuldade. Parecia sentir a dor de cada som proferido. Ventania não se conteve.

– Pai, por que, pai? Não vá ainda. Temos muito que fazer juntos ainda...

– Ventania, chegou a sua hora de assumir o comando do nosso povo. Eu confio a você, meu filho amado, o futuro de nossas crianças e mulheres. Desde o primeiro segundo que olhei em seus olhos, quando você chegou a este mundo, tive a certeza que estava diante de um futuro guerreiro que lideraria nosso povo. Agora chegou a sua hora. Honra-me e ao nosso povo...

Lua Grande proferia as palavras cada vez com mais dificuldade. Ventania não se conteve de emoção e abraçou o pai uma última vez. O velho índio não resistiu mais. Mas ainda conseguiu falar as últimas palavras para tranquilizar seu filho Ventania.

– Filho, não precisa chorar por mim. Estou muito bem. Os espíritos de nossos antepassados já estão aqui, nesta sala, sorrindo para mim e me aguardando. Já consigo vê-los. Seguirei com eles e tudo vai ficar bem. Continuarei a zelar por você e pelo nosso povo lá do plano espiritual.

Dando um último abraço em seu filho, Lua Grande não resiste e desencarna.

Mãe e filho choraram muito pela partida de Lua Grande para o plano espiritual. Além de estar muito triste pela morte do grande amor de sua vida, Jurema não podia deixar de ficar muito preocupada com o que viria a acontecer a partir de então. Olhava nos olhos de seu amado filho, como se suplicasse a Ventania que não fizesse nenhuma loucura.

Daniel está mais afastado na porta da enfermaria e tem em suas mãos um terço e profere uma linda oração pedindo a Deus que receba a alma do pobre índio.

O ambiente é de silêncio. Ventania respira um misto de tristeza e ódio em seu coração. Seus olhos, agora pequeninos e completamente vermelhos, refletem todo o ódio que logo é sentido pelos padres que estão na enfermaria acompanhando o desencarne de Lua Grande.

– Vamos levar o corpo de meu pai. Agora mesmo – comunicou Ventania.

– Espere, Ventania, vou chamar uma enfermeira – disse Daniel, assustado pelo tom de voz de Ventania.

Jurema abraçou Ventania, tentando acalmá-lo.

– Fique calmo, filho. Os espíritos iluminados de nosso deus Tupã estão recebendo seu pai.

– Fique tranquila, mãe. Só quero que seja realizado um enterro digno do grande cacique que foi meu pai, e isso tem que acontecer dentro de nossas tradições.

Ventania tomou então o corpo de seu pai nos braços e levou-o até uma pequena carroça que servia de uso aos padres e que Frei Daniel disponibilizou para que eles pudessem levar o velho índio até a aldeia. Jurema subiu e sentou-se ao lado de Ventania que bateu as rédeas para os cavalos começarem a cavalgar lentamente.

Alguns curiosos viram aquela cena ainda chocados com a notícia da morte de Lua Grande. Médicos, enfermeiros, padres e os homens brancos que atuavam na missão capuchinha sabiam da representatividade daquele momento de grande tristeza e ao mesmo tempo de grande preocupação pelo que poderia acontecer dali em diante. Eles tinham a clara noção da importância de Lua Grande dentro da cultura e costumes indígenas. Afinal, era o grande líder ecumênico e espiritual. O grande sábio da aldeia. Aquele em quem todo o povo depositava suas esperanças e proteção para o futuro.

Se o homem branco tinha uma noção deste momento, imagine você quando a carroça trazendo o corpo já desencarnado de Lua Grande adentrou a aldeia. Todos correram imediatamente para acompanhar a carroça, quase como uma procissão fúnebre, até ela chegar à grande clareira central do povoado. Ao descerem o corpo desfalecido de Lua Grande colocaram-se a chorar e a lamentar muito a morte do querido e estimado chefe de todos.

Ventania ordenou que preparassem o ritual de cremação de seu pai. É um dia muito triste para todos na tribo.

Lua Vermelha estava a todo tempo ao lado de seu amado a consolá-lo pela perda de seu amado pai. Foi ela que o aconselhou a não decidir nada nesse momento de dor. Sabe que qualquer atitude decidida nesse momento poderia causar muitos danos a todos, pois seria tomada unicamente pela emoção e não pela razão.

– Por favor, Ventania, não decida nada neste momento de dor. Tenha paciência para refletir sobre tudo o que aconteceu com calma e dê um tempo para tudo se ajeitar na sua cabeça.

– Pode deixar, meu amor. Agora só quero que meu pai descanse em paz.

Uma enorme fogueira foi montada na parte central da aldeia. Diversas oferendas aos espíritos dos ancestrais foram preparadas para pedir que recebessem o espírito de Lua Grande no plano espiritual. As mulheres preparam pratos de comidas para serem oferecidas ao grande cacique, agora morto.

É um costume, que passa de geração em geração entre os índios, colocar junto aos restos mortais vários pratos de comidas para que o morto entre no mundo dos mortos com muita comida e ofereça a todos os seus ancestrais que estão a lhe esperar. Cada família oferece um prato a seus entes queridos. Na cultura da tribo de Ventania, o portador deve entregar a seus entes queridos já mortos.

Os índios dançaram durante o fim da tarde até que Ventania acendesse a fogueira que iria queimar o corpo de seu pai logo mais, em dado momento do ritual. Nesta mesma festa, Ventania seria ainda coroado como o novo cacique da tribo e logo assumiria todas as responsabilidades sobre todo o seu povo. A aldeia não pode ficar nenhum dia sem um líder nomeado, e por isso tudo ocorre no mesmo ritual.

Havia um misto de alegria e tristeza que contaminou todo o clima da tribo. Os índios não sabiam ao certo o que sentir. Só uma coisa era certa: seria uma noite de fortes emoções. Alguns já esperavam pela morte do velho cacique. Os mais jovens comemoravam a ascensão de Ventania. Outros estavam muito saudosos da companhia e sabedoria do grande Cacique Lua Grande. Afinal, o cacique teve uma linda história repleta de muitos momentos de bravura e de cura. Foi o responsável por salvar muitas e muitas vidas, além de ser o líder sábio que coordenou a manutenção das tradições do povo e o reforço da espiritualidade.

Foi Lua Grande que fez com que a aldeia evoluísse muito no que diz respeito à relação com as esferas superiores. Criou uma programação semanal de cultos ecumênicos nos quais todos na aldeia tinham a oportunidade de aprender a se comunicar e a cooperar em grupo, para atuarem na caridade e na oração. Instituiu que todos na aldeia deveriam ajudar aos mais necessitados sem distinção de cor, credo ou costumes. A aldeia tinha projetos de educação e de medicina alternativa. Tudo criado pelo grande Cacique Lua Grande.

Os mais velhos ficaram em volta da fogueira fumando juntos um cachimbo feito com uma mistura de ervas desidratadas, e se lembraram de muitas histórias do grande cacique. Riram muito se recordando de tudo que passaram ao lado do amigo ao longo de décadas de amizade e cumplicidade.

Osmar Barbosa | 113

O que ninguém sabia era que o próprio Lua Grande estava presente no evento, de longe, ao lado de sua grande oca, onde um dia viveu quando estava no plano material. O espírito de Lua Grande estava acompanhado do espírito de sua bisavó materna, a grande e conhecida curandeira Atiaia Maior, que o estava ajudando nos primeiros dias no plano espiritual. Seu nome significa "raio de luz de enorme luminosidade", na língua indígena. Atiaia comentou com seu bisneto Lua Grande:

– Estás vendo, Lua, sua tribo o está homenageando com grandes e belas honras como você merece de fato.

– Sim, minha querida bisavó, estou vendo como sou querido – disse Lua Grande, emocionado. Ele ainda está com a aparência da idade sob a qual acabara de desencarnar.

– Olhe lá, veja, é seu filho Ventania! Logo mais será nomeado como o grande líder da tribo. Não consegue disfarçar a tristeza mesmo em um momento em que precisa ser forte diante de todos na tribo.

– Estou muito triste ainda por ter que me afastar de todos, principalmente de meu filho.

– Ventania terá um reinado de liderança muito conturbado no início, mas de grandes feitos futuros. E lembre-se, Lua Grande, meu bisneto amado e querido, você apenas está fazendo uma viagem. A vida é eterna e todos se reencontrarão ainda muitas vezes nas idas e vindas dessa incrível jornada.

– Incrível, bisa. Incrível!

– Agora temos que partir, Lua Grande. Precisamos retornar, pois você necessita continuar com seu sono revigorante lá na colônia espiritual.

– Posso dar um abraço em meu filho antes de partir?

– Infelizmente ainda não, Lua Grande. Você ainda está muito debilitado e não está ainda plenamente consciente de sua condição atual. Não se preocupe, que muito em breve você poderá agir de uma forma mais presente na vida de seu filho. Agora temos que partir. Só nos foi permitida essa rápida visita.

A Revolta

Passados sete dias do ritual de cremação de Lua Grande e da nomeação de Ventania, o jovem cacique foi procurado por seu amigo e fiel escudeiro Ibirajá que, como sempre, chega aflito na oca central onde o jovem caboclo reside.

– Ventania!

– Sim, meu amigo Ibirajá, o que houve?

– É amanhã! Amanhã começa o período da grande lua. Você já decidiu o que vamos fazer?

– Sim, Ibirajá, claro! Chame Pena Roxa e retorne aqui com ele, por favor!

– Pode deixar. Vou procurá-lo e voltamos já.

Ibirajá correu como um louco pela aldeia à procura do amigo para lhe avisar que Ventania desejava falar com os dois urgentemente em sua oca. Logo Pena Roxa adentra a oca de Ventania junto de Ibirajá.

– Meu amigo Ventania, aqui estou, o que desejas?

– Junte-se a Ibirajá e reúna todos os guerreiros para uma reunião amanhã à noite na cachoeira pequena. Aproveite e mande avisar ao Cacique Cauiré e diga que já decidi o que iremos fazer. Que ele compareça com o seu grupo. E pelo caminho traga os grupos das demais tribos com as quais ele já conversou.

– Pode deixar, Ventania, vou agora mesmo avisar a todos.

– Isso mesmo, agora vá. E não deixe que as mulheres e os velhos descubram o nosso encontro.

– Pode deixar, Ventania. Vamos, Ibirajá. Temos muito a fazer até amanhã.

– Ibirajá, novamente, não fale nada a Lua Vermelha – advertiu Ventania para reforçar mais uma vez.

– Pode deixar, Ventania, não falarei nada. Ninguém saberá de nossa reunião.

"A luta do bem contra o mal é a eterna

luminosidade que ascende os espíritos a

vida eterna."

Frei Daniel

Aquele dia em especial começou diferente para todos. O sol não conseguiu se mostrar com o esplendor costumeiro. Densas nuvens cobriam a mata anunciando um forte temporal a chegar com intensidade no horizonte. Bandos de pássaros passaram em revoada por sobre as copas das árvores confirmando a chegada da tempestade. Ventania chegou cedo à cachoeira e sentou-se em uma grande pedra para esperar pelos amigos. Logo os grupos de índios guerrilheiros começaram a chegar.

– Olá, meu grande amigo Cauiré Imana!

Cauiré e Ventania sentam-se lado a lado. Estão trajados com suas vestimentas apropriadas para o encontro. São os trajes completos de guerra.

– Olá, Ventania! Estava esperando ansiosamente por este encontro.

– Lamento a demora, amigo. Eu ainda estava esperando pela recuperação de meu pai, o que não aconteceu. Eu tinha muitas esperanças ainda.

– Eu sabia disso, meu amigo Ventania. E compreendo completamente. Lamento a morte do nosso grande amigo e referência, Lua Grande. Onde estiver, que receba nossa homenagem.

– Não temos do que lamentar. Meu pai agora está com Tupã e repousa ao lado de nossos ancestrais. Vamos tratar logo do assunto dos padres.

– Sim, é isso mesmo. Estava muito querendo lhe falar. Fui vítima de uma covardia dos padres. Você consegue acreditar que eles me puniram só porque mantenho relações de matrimônio com mais de uma mulher? Enviaram guardas e me ofenderam, criticando meu modo de viver. Você sabe que nos é per-

120 | O Guardião da Luz

mitido por nossas tradições termos mais de uma esposa. Já não suporto mais a intromissão desses que defendem um Deus único e que muito nos aborrecem com seus costumes e suas tradições.

– Sim, querido Cacique, nós também não os suportamos mais. E hoje decidiremos o que fazer. Podemos simplesmente mandá-los embora e proibi-los de voltar para se intrometer em nossas vidas. Podemos fazer isso impondo nossa vontade e costumes de nossa tribo. Já estive observando o local onde eles vivem e eles não têm nenhum tipo de proteção. Podemos expulsá-los. É só decidirmos.

– Sinceramente, Ventania, acho que isso não vai funcionar. Os padres vieram de outras terras e têm o consentimento dos governantes da capital para fazerem o que estão fazendo. Acho que o melhor é matarmos todos sem que ninguém saiba. Eles são apoiados pela governança dos brancos.

– Precisamos fazer isso sem que a notícia chegue à capital, senão teremos problemas maiores.

– Expulsamos todos e fechamos as estradas. Se eles vierem da capital e conseguirem passar pelos bloqueios, dizemos que foram eles que resolveram partir.

O que era um encontro de caciques agora se tornou um grande evento entre todos os índios. Gritos e uivos são bradados por todos que estão a participar da reunião. Ventania levantou o braço e pediu a palavra.

– Para que possamos fazer isso é necessário que tenhamos muito cuidado.

Devemos expulsar também aqueles que estão próximos aos padres. Homem branco que apoia os padres deve ser mandado embora daqui para nunca mais voltar.

Novo furor se dá entre todos com muitos gritos e uivos.

– Vamos nos unir e lutar pela nossa paz e pela nossa liberdade. Jamais podemos abrir mão de nossos costumes e tradições – gritou Cauiré, erguendo sua lança em riste.

Ventania organizou a invasão.

– Então vamos fazer desta forma. Vamos nos dividir em grupos. Um grupo cercará a capela. O segundo grupo se destinará ao vilarejo e o terceiro ficará focado em fechar as estradas. Ninguém entra e ninguém sai. Passados alguns dias enviaremos uma caravana à cidade para avisar que os padres foram embora.

– Sim, vamos expulsar todos. Assim eles nunca desejarão voltar aqui. Se precisarmos usar a violência, usaremos. Mas apenas para assustá-los e expulsá-los daqui. Apenas para que eles aprendam que não se mudam as tradições e os costumes de um povo que já vive aqui há milênios. Temos que lutar pelo nosso respeito já que eles demonstram que não se preocupam em nos respeitar.

– Faremos assim então. Lutaremos pela nossa honra de uma vez por todas – evocou Ventania, erguendo as duas lanças cruzadas sobre a cabeça.

Ventania sentiu uma forte pressão no peito. Parecia ouvir de seus ancestrais que isso não era correto e que era preciso tomar muito cuidado para não causar uma tragédia. O caboclo tentou então disfarçar seus sentimentos bradando gritos de guerra para que nada comprometesse o clima dos guerreiros.

Todos ficaram eufóricos com a convocação para defender a honra indígena e fizeram as danças de guerra evocando os espíritos da batalha para festejar a vitória anunciada. Ventania foi saudado por todos os presentes como o grande chefe guerreiro e corajoso que tomou uma decisão de preservar a honra e os costumes dos povos indígenas.

Eufóricos e determinados a lutar pela expulsão do homem branco das proximidades, os índios começaram a realizar seus rituais de guerra. Trouxeram as tintas feitas de raízes para que todos fossem pintados com os desenhos que representam a força e a integridade para a guerra. As lanças são afiadas e os penachos e adereços ajustados para o grande dia do confronto entre culturas.

Os cavalos foram selados e arrumados com suas roupas e equipamentos especiais de guerra, que consistiam essencialmente em trapos coloridos jogados sobre o lombo do animal e pedaços de madeira para protegê-los de alguma ameaça mais violenta.

Como anunciado ao longo do dia pelos sinais que a natureza envia, a chuva chegou e começou a cair de forma torrencial sobre a mata e também na aldeia. Logo a cachoeira em que todos estavam reunidos tornou-se muito perigosa. E seguindo orientações de Ventania, todos voltaram para as suas aldeias e ficaram a esperar a ordem final. Após seguirem estritamente as orientações de Ventania e Cauiré Imana, todos descansaram esperando o grande dia do conflito.

Osmar Barbosa | 123

Ao encostar a cabeça no tecido de sua rede, Ventania pensou muito sobre a decisão de expulsar o homem branco de perto da sua aldeia. Ele tinha consciência que não queria que nada de ruim acontecesse com os padres e homens que com eles estavam interferindo no dia a dia de sua cultura. Queria apenas que se afastassem e permitissem que eles seguissem a vida em paz, como eles haviam feito nos últimos séculos. Porém, Ventania não deixou de pensar sobre os sentimentos que invadiram seu peito na sessão da cachoeira. Parecia que os espíritos de seus ancestrais queriam avisá-lo de que havia algum risco de o resultado final ser desastroso. Mas ao mesmo tempo em que ficava aflito com estes sentimentos, Ventania não sabia ao certo como tudo poderia dar errado. Na cabeça dele estava tudo muito claro e simples: eles assustariam o homem branco e o padres para então fugirem e ficar tudo bem.

O Massacre

13 de março de 1901, seis horas da manhã.

Padres, freiras e dezenas de crianças, índias e brancas, estavam iniciando os estudos no internato naquela manhã normal de dia de semana. Foi depois da primeira aula da manhã, de catequese, que todos ouviram os cânticos de um grupo grande de índios que havia chegado e cercado a sede dos padres. Os cânticos eram formados por gritos raivosos, e os índios assustavam pela postura aguerrida e intensa.

Os padres vieram ao encontro dos índios para buscar entender o porquê daquela atitude aguerrida. Ventania explicou que não tolerariam mais a presença deles nem do homem branco interferindo nos costumes de sua aldeia. Frei Daniel veio interceder perante o grupo buscando sensibilizá-los.

— Ventania, o que houve? Não queremos confusão. Queremos apenas ajudá-los.

— Como assim, ajudar? Nossa vida não é mais a mesma com a presença de vocês. Nós também não queremos confusão. Queremos apenas ficar em paz sem vocês por perto. Vocês nos trouxeram doenças que nunca tivemos e querem mudar costumes que praticamos há séculos. Não vamos tolerar mais isso. Queremos nossa liberdade! – Ventania gritou e foi apoiado por um grito de guerra do grupo que estava com ele.

– Ventania, vamos manter a calma, por favor. Vamos conversar. Podemos encontrar uma forma de estarmos menos presentes.

– Agora é tarde. Já revoltou a todos. Estamos todos no nosso limite do aceitável.

Frei Daniel tentava, de alguma forma, reverter a situação que parecia ter chegado de fato ao extremo. Ventania e os índios pareciam irredutíveis. Parecia realmente que eles haviam chegado ao limite da tolerância. Não conseguiam mais sequer verem os homens brancos por perto. Já tinham chegado ao limite da tensão entre as partes.

Nesse momento, Cauã Adubé, um dos índios do grupo de Cauiré que estava resguardando a estrada que vinha da cidade, chegou a um galope veloz em seu cavalo malhado. Quando Ventania percebeu sua cara de assustado assinalou com a cabeça que era para se aproximar para dizer o que tinha acontecido. Chegando mais perto, Ventania pôde perceber que Cauã estava com os braços sujos de sangue. Em tupi-guarani, Adubé contou ao caboclo o que tinha acontecido.

– Ventania, fomos atacados pelos homens brancos. De alguma forma eles sabiam que hoje seria o dia de nossa revolta e já chegaram nos atacando na estrada. Conseguimos revidar e matamos vários dos homens deles. Por isso eles recuaram e voltaram para a cidade. Mas também perdemos muitos amigos. A maioria está ferida, mas alguns morreram em combate, até por não termos armas de fogo. Os índios que sobraram estão a caminho, revoltados, querendo vingança contra o homem branco e contra os padres.

Ventania ficou transtornado. Até por saber que agora seria praticamente impossível conter a fúria de todos os índios ao saberem o que tinha acontecido com o grupo na estrada. Os índios que conseguiram ouvir o que Cauã havia contado começaram a contar aos demais e em pouco tempo estavam todos eles revoltados, gritando e evocando cânticos ainda mais aguerridos e ameaçadores. Ventania também estava muito triste e revoltado, mas a lembrança das sensações que sentira na noite anterior o fazia temer por algo muito grave. Mas o espírito guerreiro foi mais forte do que isso tudo e, somado ao sentimento de revolta geral dos outros índios, Ventania ordenou o ataque.

O que o caboclo tinha em mente era que, já que o conflito era iminente e irreversível, que ele servisse para afastar de vez os padres e homens brancos. O que Ventania não sabia e não podia prever naquele momento era que quando o grupo de Cauiré, remanescente do ataque na estrada chegou, eles vieram com sangue nos olhos e não quiseram saber de apenas ameaçar os homens brancos. Começaram a se vingar do ataque sofrido na estrada, e o que era para ser apenas uma expulsão virou um massacre sem proporções.

Aos gritos, como se estivessem em guerra, os índios perseguiram e mataram ali mesmo com golpes de facas e tacapes todos os homens brancos presentes e alguns padres. Em pânico, muitos conseguiram fugir. As freiras e as crianças conseguiram se esconder no convento. Os outros imploraram clemência. Mas em pouco tempo quase todos estavam mortos, estendidos sobre poças de sangue que se espalhavam no altar, na parte central, na sacristia e por todo lado. Os índios correram para o vilarejo em perseguição aos fugitivos.

Outros grupos invadiram as casas das famílias de colonos que ali viviam a

Osmar Barbosa | 129

convite dos padres. Alguns conseguiram escapar da perseguição. Mas a chacina estava apenas começando. Cerca de quatrocentos índios estavam envolvidos no massacre. A vingança estava concretizada. Sem piedade, todos os que conseguiram ser alcançados pelos índios foram assassinados pela honra dos índios assassinados na estrada.

O pequeno hospital, construído com muita dificuldade pelo Frei Daniel, foi ao chão em poucos minutos, incendiado pela fúria dos índios rebelados. Os pacientes que ali se encontravam foram igualmente assassinados pelos índios, que sem nenhuma piedade e repletos de revolta no coração, mataram a todos. Só liberaram os pacientes indígenas, que foram resgatados para seguir em tratamento em suas aldeias.

Ao fim do grande conflito, o balanço era aterrorizante. Ventania ordenou que a destruição cessasse e que aqueles que haviam sido mantidos como reféns fossem soltos, permitindo que fugissem. Assim, o caboclo deu um basta nos sacrifícios, pois já havia percebido que o objetivo maior havia sido atingido. Não haveria mais nenhuma condição de a missão capuchinha manter-se ali, interferindo na vida dos índios.

Uma grande sessão de espiritualização foi organizada para que os índios pedissem perdão pelos assassinatos, justificando que fizeram isso em defesa das tradições de seus povos e pela proteção dos demais índios, já que o começo de tudo se deu na estrada, com os índios como vítimas do ataque. Embora muito aborrecidos com os acontecimentos, os anciãos e as mulheres da aldeia aceitaram os argumentos de Ventania e dos índios, compreendendo que, ou eles defendiam a honra e a vida de todos, ou os homens brancos armados poderiam chegar até as aldeias e matarem todos.

Ventania não procurou Lua Vermelha, pois temia que ela não fosse tão compreensível a respeito da sua decisão de expulsar o homem branco. A saudade é grande, mas o receio de magoar sua amada o impede de procurá-la. Porém, isso não impediu que ela mesma o encontrasse na sessão. Lua Vermelha procurou Ventania, consternada com os acontecimentos e questionou seu amado.

– Muito bem, seu Ventania, está feliz agora?

– Calma, meu amor, não era essa minha ideia inicial.

– Como não era?

– Eu queria apenas expulsar o homem branco de nossa convivência. Apenas isso. Não achava mais justo que eles permanecessem aqui interferindo em nossa cultura. Mas eles resolveram nos atacar antes. Feriram e mataram vários de nossos homens que estavam na estrada guardando a entrada do vilarejo. Foi em virtude disso que a coisa toda tomou o rumo não planejado. Eles atacaram primeiro, meu amor.

– Olha lá, hein, Ventania! Não quero você envolvido com maldade nenhuma.

– Mas foi para defender nosso povo, meu amor. Se não nos protegêssemos, eles estariam aqui a qualquer hora dessas.

– Eu sei, Ventania, mas nada justifica uma vida perdida. Imaginem várias. Vocês vão pagar por isso ainda. Se não for aqui, será em algum lugar.

Muitos padres conseguiram fugir. Entre eles, Daniel, que se refugiou den-

Osmar Barbosa | 131

tro de uma pequena capela não sendo encontrado pelos índios. Mantiveram-se em oração por longos trinta dias. A notícia do massacre correu por todas as aldeias.

Na sessão, Lua Vermelha continuava querendo saber de Ventania se não poderia ter evitado o pior.

– Ventania, não acredito que você teve coragem de participar dessa desgraça.

– Nós apenas fizemos valer nossos direitos. Apenas isso é o que fizemos. Nos defendemos do ataque dos homens brancos.

– Fico imaginando se o que você fez não foi simplesmente vingar a morte de seu pai.

– Pode ser também. Não suportava mais esses médicos e padres. Você sabe perfeitamente disso. Agora nossas crianças estão livres desses costumes dos brancos. Nossas tradições serão mantidas e preservadas como têm que ser.

– Sim, eu sei que você tem dificuldade em compreender o que é melhor para nossa tribo. Pode até ser que você tenha razão. Mas daí matar? Isso não tem cabimento.

– Já lhe disse que meu plano não era matar ninguém. Mas eles começaram atacando os nossos homens, ferindo-os e matando-os. Precisávamos nos defender. E faço e farei tudo, sempre, para manter nossos costumes e nossas tradições. Esses que morreram que sirvam de lição para tantos outros que tentarem vir aqui modificar as nossas vidas.

– Sinceramente, Ventania, eu não consigo segurar meus sentimentos. Estou muito triste com tudo isso.

Entristecida e cabisbaixa, Lua Vermelha se afastou de Ventania, dirigindo-se para sua oca chorando. Passadas algumas horas, Ventania foi procurado por Ibirajá.

– Ventania, preciso lhe falar.

– Sente-se amigo – convida-o indicando uma pedra próxima à sua oca.

– Não trago boas notícias.

– Diga, o que houve?

– Há rumores de que soldados estão se organizando para virem para cá à procura dos padres e dos colonos. Não se sabe ao certo quando, mas eles estão se preparando para vir. Parece que alguns que conseguiram fugir chegaram à cidade e avisaram os guardas.

– Quem lhe disse isso?

– Alguns de nossos irmãos estiveram na cidade para investigar. E o comentário é geral. Todos estão falando do massacre e da expulsão dos padres e homens brancos.

– Mas que desgraça! Por que não ficam onde estão e nós ficamos aqui onde estamos? Por que eles precisam insistir em querer nos dominar?

– Só sei que temos que nos preparar para o pior.

– Obrigado pelas informações, Ibirajá. Vamos nos preparar. Avise a todos do perigo iminente, mande avisar Cauiré.

– Vou avisar. Mas tome cuidado, Ventania, é só isso que lhe peço, por favor!

– Fique tranquilo, que as armas dos soldados não me atingirão.

– Confio na sua experiência como guerreiro e cacique de nossa tribo.

– Obrigado, amigo. Agora vá e avise a todos, eu vou organizar tudo por aqui também.

Rapidamente Ibirajá avisou a todos os guerreiros da aldeia sobre o perigo que se aproximava e todos se prepararam para uma nova batalha, agora contra os soldados armados da capital. Ventania recebe a visita de Cauiré, e juntos planejam como se defender do novo inimigo. Convocaram uma nova reunião na cachoeira para decidirem a melhor estratégia para se protegerem do ataque.

Após horas reunidos na cachoeira, tudo ficou acertado. Todos os índios estão preparados para viver ou morrer em nome da honra indígena e pelo grande Cacique Ventania. Depois que todos partiram, só Ventania e Cauiré permaneceram na área destinada às reuniões secretas.

– Então, Ventania, como está seu coração, amigo?

– Estou muito triste, Cauiré. Não era para acontecer tudo desta forma. Não consigo entender porque tudo teve que chegar a esse ponto. Só queria que retomássemos nossa paz, nossas tradições e nossos costumes.

– Eu entendo, Ventania...

– Mas olha aonde tudo isso nos levou. Não me arrependo de nada do que faço na vida. Sou um guerreiro, e como tal não poderia me arrepender. Tenho orgulho de nossas vitórias, e se chegou a esse ponto, foi por culpa daqueles que não ouviram nossos pedidos para se afastar.

– Pois é, Ventania. Nós temos que lutar pelas nossas terras, pela nossa honra e por nossas famílias. Nossos antepassados todos tiveram que lutar. Saiba você que seu pai foi um grande defensor de nossos territórios.

– Jura?

– Sim, um dos maiores. Ele jamais permitiria que abríssemos mão de alguma de nossas conquistas por nada neste mundo. Conquistamos nossa liberdade, nossas terras, nosso direito de viver de acordo com nossos costumes e tradições. Não podemos permitir que nos tirem isso.

– Fico feliz de estar lutando pelo meu pai e por tudo que ele representou.

– Sim, Ventania, você pode se orgulhar. Você tem tudo para ser um dos maiores caciques que essas terras já viram.

Naquela noite, Ventania sonhou com seu pai, Lua Grande. Ele estava em um grande descampado verde e caminhava na direção do jovem cacique. Ventania estava vestido com os trajes completos de guerra e trazia sua lança à mão. Seu pai estava com uma roupa de índio toda branca. Parecia bem mais jovem do que na data em que desencarnou. Estava bem, boa fisionomia, tranquilo. Ventania se aproximou meio sem entender o que estava acontecendo.

– Oi, meu filho!

– Pai... que bom encontrá-lo por aqui... mesmo que aparentemente eu esteja em um sonho... e dormindo.

– Meu filho, nem sempre acredite nas coisas com base na primeira impressão.

– Você está bem, pai? Está mais novo, aparenta estar bem.

– Estou sim, meu filho. Nos primeiros momentos foi tudo muito difícil. Tive que passar um bom tempo em um lugar muito feio e terrível por causa de muitas coisas que, hoje vejo com mais clareza, fiz de errado na vida. Mas segui orando aos espíritos dos nossos ancestrais e aos deuses das matas, das águas, das rochas e ao deus Tupã. E parece que minhas preces foram ouvidas, pois sua bisavó foi me resgatar com um grupo de espíritos de índios muito iluminados.

– Nossa, meu pai, que impressionante!

– Pois é... eu também estou bastante impressionado com tudo isso. Eu queria dizer para você não se cobrar tanto. Na vida, às vezes, temos que seguir em frente mesmo com tudo parecendo estar contra nós.

– Mas pai, está tudo tão difícil. Não sei o que fazer. Sinto que tenho que defender os interesses de nosso povo, mas isso também parece estar errado.

– Meu filho, antes de tudo, os nossos; acima de tudo, nossas famílias. Por eles, não meça esforços, não pense duas vezes, vá até o fim... até o fim... até o fim.

Foi então que Ventania despertou de repente e suando muito. Ficou desolado por acordar bem no meio do sonho com seu pai. Chorou de saudade do velho, e da alegria de poder estar com ele novamente, mesmo que por alguns minutos, mesmo que em um sonho.

Já de manhã bem cedo, correu para contar seu sonho para Jurema, sua mãe, que o consolou com todo carinho do mundo. Depois, não se conteve e passou pela oca de Lua Vermelha, que parecia mais conformada com o caboclo.

– Lua... Lua...você está aí?

Depois de alguns segundos, a linda índia cor de jambo surgiu por entre as miçangas que formavam a cortina que servia de porta para sua oca.

Toda vez que Ventania via Lua Vermelha vindo em sua direção, ele tinha a nítida impressão de estar vendo esta cena em câmera lenta. Parecia estar presenciando o nascer do sol, surgindo por trás das montanhas em uma manhã de primavera. Os cabelos negros de Lua pareciam bailar suavemente enquanto ela caminhava de forma graciosa na sua direção. Seu coração palpitava de alegria ao vê-la, ao sentir seu cheiro irresistível e marcante, ao ver sua boca envolvente que parecia ser desenhada à mão por um artista renascentista. Até que então, essa boca perfeita, conseguia ficar ainda mais perfeita quando começava a sair dela aquela voz rouquinha, aveludada, feminina e com jeito de menina, o que só servia para reforçar a meiguice e encantamento desta jovem caboclinha.

– Oi, Ventania, tudo bem? Que bom que você veio me ver!... Queria lhe pedir desculpas por ter sido tão dura com você. Eu não admito o que ocorreu,

Osmar Barbosa | 137

mas entendo o seu papel de preservar nossa integridade e nossos costumes também.

– Oh, meu amor, não fique assim! Que bom que você está mais calma e compreensiva! Eu concordo com você que não é o melhor caminho, mas foi o que se desenhou diante das possibilidades. Eu não queria que tudo tivesse terminado assim, mas as circunstâncias nos levaram a isso, você sabe, já lhe contei os detalhes.

– Pois é, às vezes, na vida, os caminhos se desenham de uma forma que não esperamos e temos que agir de um jeito que não consideramos ser o ideal. Mas por favor, vamos evitar ao máximo confusão com o povo da cidade. Não tenho bons pressentimentos em relação a eles. Tive um pesadelo e tudo.

– Lua, você me lembrou! Vim aqui para lhe contar sobre um sonho que tive esta noite, amor.

– Jura? Conta-me, o que você sonhou?

– Vamos caminhar?

– Vamos!

E os dois se colocaram a caminhar até o rio. No caminho, Ventania foi contando o sonho e aproveitando para colher algumas frutas que colocou sobre uma grande folha de bananeira, no gramado, próximo ao leito do rio, o que seria o desjejum do casal. Ventania contou que estava até agora arrepiado só de se lembrar da imagem de seu pai no sonho. Como ele estava bem! E como estava consciente. "Nem parecia sonho, Lua", comentou com lágrimas nos olhos.

138 | O Guardião da Luz

Disse que não entendeu muito bem tudo que o pai quis lhe dizer, mas pôde compreender que a mensagem central dizia respeito a defender o seu povo acima de tudo e de todos.

– Você sabe né, Lua, meu pai foi um guerreiro nato. Sua história sempre foi de muitas lutas e conquistas. Se não fosse a geração dele, talvez não tivéssemos hoje tudo o que conquistamos, o espaço, as terras que queriam nos tirar e conseguirmos manter, a nossa cultura fiel às nossas tradições. Infelizmente, se não lutássemos por isso tudo, já teriam conseguido nos destruir aos poucos.

– Eu sei, meu amor. No fundo sei que você tem razão. E compreendo seu sonho e respeito muito a história de seu pai e dos nossos ancestrais. Infelizmente, têm horas que as pessoas só entendem as medidas mais drásticas como forma de negociação. É triste isso. Mas é a verdade. Não culpo vocês.

– Nossa, Lua, mas foi tão bom ver meu pai, mesmo que em sonho! Fiquei muito triste de ter acordado bem no meio. Queria ter ouvido mais a voz dele, sentido mais ele, ter dado um abraço de despedida, sabe? Dói muito não ter mais o meu velho aqui comigo, me ajudando, me aconselhando, nos protegendo. Ele era tão sábio e tão amado… Se ele soubesse. Se eu pudesse dizer isso a ele uma última vez.

– Oh, meu amor, é claro que ele sabe, e muito! Você foi o melhor filho do mundo, você sabe disso. Sempre carinhoso, batalhador, companheiro; aprendeu tudo com ele, porque estava sempre do lado dele. E mais: não duvide que ele esteja sim ainda ouvindo tudo o que você diz para ele, ainda que de longe.

Um amor fraterno deste tamanho e intensidade resiste a tudo, Ventania, inclusive à morte e à separação dos planos e dimensões espirituais. Acredite nisso.

Ventania saiu da conversa com Lua Vermelha muito bem e feliz, acreditando que voltaria a sonhar com seu pai em breve, esperançoso de que dias melhores viriam.

O Castigo

Mas infelizmente o sentimento de Ventania estava equivocado. Passadas algumas semanas do terrível conflito entre índios e homens brancos no vilarejo, chega à aldeia a informação de que um grupo de soldados enviados pela capital conseguiu se aproximar dos territórios das tribos de Ventania e Cauiré. A batalha começou nas estradas que levavam às aldeias, onde muitas baixas aconteceram para os dois lados.

– Vamos, guerreiros, preparem as emboscadas! Não podemos permitir que eles se aproximem de nossa aldeia – ordenou Ventania, comandando seus guerreiros.

– Eles são muitos, Ventania, são muitos. Avisaram-nos que saíram em grande número da cidade.

– Nós estamos com a força de Tupã e de nossos antepassados. Somos mais fortes. Organizem-se e protejam as estradas. Eles não podem passar de forma alguma. São nossas famílias que estão lá, guerreiros. Acima de tudo, nosso povo! Lembrem-se disso!

Os índios estavam com muita força, empenhando muita energia na proteção dos territórios. Gritavam cantos de guerra e entoavam cânticos raivosos de proteção. Infelizmente, muitos índios e soldados morreram nesse combate.

Ventania continuou a comandar todos os seus guerreiros a lutarem pela preservação de seus costumes, de suas tradições e de seus territórios. Apesar do sucesso na resistência nas estradas e matas, Ventania viria a sofrer um duro golpe que iria marcar definitivamente sua trajetória espiritual.

Muito preocupada com seu amado, Lua Vermelha procurou saber notícias de Ventania. Sabia que ele estava na mata com os índios, mas ficou enlouquecida ao não receber nenhuma notícia sobre o caboclo já havia horas. Adentrou a mata mais próxima da aldeia em uma área que ela sabia que não correria perigo, pois os soldados estavam ainda muito longe dali, e nem teriam como avançar, pois o cerco dos índios guerreiros havia surtido efeito. Encontrou Ibirajá voltando dos limites da mata.

— Ibirajá, você sabe onde está Ventania? – perguntou Lua Vermelha, aproximando-se do irmão.

— Está nas cercanias da mata supervisionando as emboscadas dos soldados e orientando os guerreiros a proteger nosso território. Estamos vencendo essa batalha, Lua. Eles estão recuando!

— Que bom! Mas preciso falar com ele! É muito urgente. Preciso falar com ele! Além disso, passei na oca de Jurema, e ela me contou que teve um pressentimento muito ruim. Tombou a panela do ensopado e tudo, perdendo o almoço.

— Lua, é melhor esperar ele voltar. Não é nada seguro andar pela mata, mesmo que os soldados estejam muito distantes.

— Você poderia procurá-lo para mim?

– Daqui a pouco vou ter que procurá-lo, pois levarei informações de volta para ele.

– Então vai logo, Ibirajá! Procure por ele, agora, preciso falar com ele, meu irmão, por favor!

– Calma, minha irmã, estou esperando pelas flechas que Ventania me mandou buscar para levar aos guerreiros que estão escondidos na mata na beira da estrada.

– Vou apressar as mulheres – disse Lua Vermelha.

– Vá, faça isso!

Lua Vermelha saiu rapidamente para apressar as índias que estão na oca principal reunidas confeccionando os equipamentos necessários para ajudar na guerra. Elas estão entre as encarregadas na confecção de flechas e armas artesanais que os índios usam nas batalhas. Muitas estão trabalhando dia e noite confeccionando as armas necessárias para atender a todos os índios espalhados pelas estradas e enfronhados na densa mata.

Ibirajá, Abauaté e Flecha Ligeira, entre outros, são os encarregados de abastecer os índios com equipamentos necessários à guerra. Cabia às crianças levarem suprimentos para os índios mais próximos da aldeia. O medo é total na tribo. Os velhos e as jovens índias estão trancafiados dentro da grande oca, escondidos da batalha que circunda as estradas que levam até a tribo.

Ventania coordenava tudo de forma milimétrica, supervisionando todas as frentes de defesa montadas por ele para resguardar a tribo. Lua Vermelha,

Osmar Barbosa | 145

muito preocupada com seu amado e precisando lhe falar, decidiu procurar Ventania na mata, contrariando as recomendações de Ibirajá. Seguiu caminhando à procura de seu amado.

Os índios faziam campana com seus companheiros para proteger todos os que estão a preparar alimentos e armamento para a guerra travada entre os índios e as forças armadas que foram mandadas pela capital para prender os índios rebelados.

Foi quando um intenso tiroteio começou. Alguns soldados conseguiram contornar de uma forma inesperada os bloqueios sem que os índios pudessem perceber e estancar a invasão daquele trecho de mata. O conflito foi iminente. Não havia como evitar. Tiros e flechas cruzavam o ar dos dois lados. Lua Vermelha escutou os tiros ao longe e correu na direção da mata mais densa para se esconder. Os índios, profundos conhecedores das matas, subiram nas árvores com as armas tomadas durante o combate e atiraram para valer em seus inimigos. Muitos morreram nesse conflito em específico. Apesar da pouca experiência em utilizar armas de fogo, todos procuraram proteger-se dos vários tiros disparados contra eles. É grande o número de baixas.

Foi então que uma dessas balas perdidas encontrou as costas de Lua Vermelha antes que ela pudesse se distanciar mais. Lua foi jogada ao chão pela força do tiro. Um grito de dor ecoou por toda a floresta e parecia congelar aquele momento de choque e terror.

Seu frágil corpo caiu em uma ribanceira. Ventania escutou um grito na alma e não no ouvido. Parecia ter sentido o grito de sua amada ecoar dentro de seu coração, que imediatamente se contraiu e ficou pequenino, esmagado, dolorido, sem ele entender muito bem o porquê.

De repente, Ventania escutou um assobio que soprava uma mensagem codificada para ele. Uma mensagem que apenas os índios guerreiros poderiam entender. Era Ibirajá enviando uma mensagem como "tragédia" e "preciso da sua presença".

Com a velocidade do vento, desceu da árvore e com golpes do tacape matou três soldados que encontrou em seu caminho de uma forma que até agora eles não sabem de onde vieram os golpes que o atingiram. E o assobio de Ibirajá continuava, até Ventania conseguir encontrar sua localização exata. O caboclo chegou até o local do assobio e viu Ibirajá agachado ao longe, desolado. Conforme foi caminhando, Ventania foi compreendendo a situação que ia se desenhando dramaticamente diante de seus olhos. Era Lua Vermelha deitada e desfalecida diante de seu irmão Ibirajá.

Ventania não pôde acreditar no que estava vendo diante de seus olhos. As árvores à sua volta começaram a girar como se ele estivesse em uma montanha-russa. Correu para perto de sua amada e buscou entender o que tinha acontecido. Viu sangue, muito sangue sobre o peito de Lua, e olhou-a nos olhos que pareciam pedir pela presença dele desesperadamente.

– Ventania… desculpe por ter vindo à mata… queria ver se você estava bem…

– Meu amor, por quê? Por quê? Por que isso aconteceu? Não fale nada. Nós vamos lhe salvar – disse o índio inconformado com o que tinha acontecido.

– Acho que não vou conseguir, Ventania!

– Fique calma, vamos conseguir sim!

Ibirajá, que tinha se afastado um pouco para sondar as proximidades, retornou avisando que mais soldados estavam se aproximando.

– Ventania, salve minha irmã, eu lhe imploro!

Infelizmente, Ventania constatou que pouco poderia fazer. O tiro havia sido certeiro. Em poucos minutos seu grande amor estaria morta. O que fazer?

– Ibirajá, saia daqui! Deixe-me a sós com ela! Despiste os soldados. Por favor, meu amigo!

– Não posso deixá-lo aqui sozinho!

– Vá. Estou mandando! Vou levá-la comigo. Agora vá. Pode confiar em mim!

Olhando-a fixamente, Ventania começou a chorar enquanto Ibirajá se afastava. Suas lágrimas caíram sobre o belo rosto da pequena índia que perdia sua vida em suas mãos.

– Ventania, jamais se culpe por nada. Você fez o certo em proteger as nossas famílias e o nosso povo.

– Meu amor, não faça esforço... eu te amo muito. Do fundo da minha alma.

– Eu também te amo, meu amor. E te amarei por todas as minhas vidas. Para sempre. Esteja onde eu estiver, estarei sempre a te esperar para continuar te amando.

– Lua... Lua...

Seus olhos começaram a fechar lentamente. Ventania puxou seu corpo para colar-se ao seu e pediu ao grande Tupã que não deixasse que seu amor morresse. Lentamente, Lua Vermelha desfalecia nos braços de seu amado, extinguindo-se aos poucos sua vida. Ventania soltou um grito com um misto de tristeza, dor e revolta.

– Desgraçados, vou matar a todos! – bradou o caboclo de dentro da mata fechada.

Lentamente levantou-se trazendo em seus braços o corpo já morto de Lua Vermelha. Caminhou lentamente para as margens do rio onde pretendia depositar o corpo da índia.

Os tempos são de guerra e os rituais de cremação são substituídos pela entrega do corpo aos deuses das águas sagradas da grande mãe natureza. Mas Ventania entregou-se à dor e decidiu largar tudo e todos à sua sorte. Afinal, para ele a vida perdia totalmente o sentido ali, naquele momento. Caminhou rapidamente pela linda mata ouvindo o canto dos pássaros que pareciam tristes com a morte da jovem índia.

Osmar Barbosa | **149**

"A vida não se resume a esta vida"

Frei Daniel

Chegando às margens do rio Mearim, Ventania pegou uma pequena canoa que estava amarrada a um tronco às suas margens. Repousou o corpo de sua amada e passou a navegar lentamente sobre as águas transparentes, indo embora com o corpo morto de Lua Vermelha. A cada remada que dava nas águas do lindo rio, Ventania bradava mantras de morte e pedia a seu pai que recebesse sua amada no mundo espiritual.

Chorando e muito triste, ele se lembrou dos banhos que tomavam juntos neste mesmo rio, ele e sua amada. E agora, o que fazer?

Após algum tempo encontrou o lugar perfeito para ficar com Lua Vermelha. Já não conseguia mais chorar. Todas as lágrimas que tinha foram depositadas nas águas do rio, ou molharam o corpo jovem de sua amada.

Uma pequena ilha, com pequenas palmeiras e vários pássaros que cantavam como se ali estivessem todos os anjos da Terra. Um pequeno paraíso repleto de flores coloridas que enfeitavam o lugar.

Alguns animais pequenos estavam a passear livremente enfeitando ainda mais o belo local. O silêncio só era interrompido pelos mantras que o caboclo não se cansava de entoar.

Lentamente, ele tirou o corpo de Lua Vermelha da embarcação, depositando-o em uma parte gramada da ilha, e pôs-se a juntar lenha suficiente para cremar o corpo da menina. E foi assim que em um ritual lento e sofrido, entregou ao deus Tupã o espírito de Lua Vermelha.

– Tupã, por que fizeste isso comigo? Prometo-lhe, minha querida amada, que pouco ficarei aqui. Muito em breve estarei a lhe encontrar na morada eterna. Não importam o tempo nem a distância, eu lhe encontrarei e viveremos felizes por toda a eternidade, como sempre sonhamos.

Ventania ficou destruído por dentro. Permaneceu por longas horas na beira do rio após juntar as cinzas de sua amada para entregá-la a seus pais.

A guerra agora já não fazia mais sentido. Pouco se importava com o que poderia estar acontecendo em sua tribo, embora dentro de seu coração reconhecesse suas responsabilidades. Mas a dor era maior do que tudo.

Enfim, decidiu voltar para a aldeia onde a notícia da paz já havia chegado para todos, por ordem do governador geral da capital que determinou que deixassem os índios viverem em paz e que a vingança nada mais traria senão mais ódio e desgraça entre todos.

Quando Ventania chegou à aldeia, todos o aguardavam com muita ansiedade, pois não sabiam se estava vivo ou morto. Os índios já sabiam da morte de Lua Vermelha, e muitos ficaram a imaginar como ele conseguiria viver sem seu amor.

— Ventania, não acredito, que bom que você voltou! — saudou-o um dos índios da tribo.

— Salve, Sauiré, sabe onde está Aruá?

— Eu o vi na oca central, Ventania. Você está bem?

— Estou vivo por fora, mas morto por dentro.

– Meus sentimentos, Ventania!

O caboclo caminhou em busca de Aruá, o pai de Lua Vermelha. Quando o encontrou estavam, ele e a mãe de Lua, abraçados e chorando, já sabendo do pior ocorrido, pois Ibirajá havia trazido as más notícias. Ventania adentrou a grande oca central e foi ao encontro dos pais de Lua Vermelha.

– Aqui estão as cinzas de sua filha. Perdoem-me por não tê-la protegido da morte. Perdoem-me.

– Ventania… não se preocupe. Sabemos que você estava fazendo o que era melhor para todos de nossa tribo. A dor da perda nos é superada pela certeza de que nossa filha agora está com Tupã, o grande deus de todos nós.

– Não sei se conseguirei viver sem ela. Confesso, jamais me perdoarei por essa falha.

– Fique calmo, o tempo se encarregará de lhe fazer feliz; minha doce filha era uma índia diferente, sabíamos de sua bondade infinita e de quanto ela sofreu quando você foi à guerra. Agora não adianta mais nada – disse Aruá com lágrimas nos olhos.

– Sim, grande Aruá, o tempo. Esperemos que o tempo apague minha dor.

– Vá descansar. Sua mãe está a sofrer com sua ausência. Procure-a, ou mande avisar que chegou.

– Obrigado, amigo, vou fazer isso.

Osmar Barbosa | 153

Logo que entrou em sua oca, Ventania foi visitado por sua mãe, Jurema, que já havia sido avisada de seu retorno.

– Meu amado filho, meu coração está triste e moído com a sua dor.

– Minha querida mãe, nunca pensei que isso poderia acontecer a Lua Vermelha. Não consigo imaginar minha vida sem ela. Tudo por causa dessa desgraça toda que começou com o homem branco invadindo nossas vidas.

– Meu filho, você foi induzido por Cauiré Imana a realizar essa desgraça para o nosso povo. Agora só nos resta pedir ao grande Tupã que proteja todos nós e que guarde na eternidade nossa querida Lua Vermelha.

– Não tenho mais vontade nenhuma de viver.

– Não fique assim, meu filho! Você é um grande guerreiro e todos precisam de sua sabedoria e proteção para continuar a existir.

– Sei disso, minha querida mãe. Mas os deuses estão me castigando pela morte dos padres.

– Não pense assim, siga comandando nossa tribo. Você é um grande cacique e um grande guerreiro, todos seguem seus exemplos.

– Vou tentar, prometo.

– Venha aqui, quero te abraçar – disse sua mãe, Jurema.

Em lágrimas, Ventania entregou-se ao abraço de sua mãe e ali ficaram durante alguns minutos, triste e choroso.

Após dois dias descansando e tentando se refazer dos acontecimentos, a aldeia foi visitada por índios da denominação Canela.

– Ventania, alguns índios estão na entrada da aldeia e querem falar com você.

– Traga-os até aqui!

– Sim! Vou buscá-los.

– Bons dias, amigos! – apresentou-se um militar que acompanhava os índios Canela.

– Salve! – disse Ventania.

– Não viemos guerrear. Apenas preciso falar com o líder dessa tribo.

– Pode falar, eu sou o Cacique Ventania.

– Senhor, estamos procurando as meninas que foram sequestradas na batalha dos padres.

– Aqui você não as encontrarão. Não temos nada com isso.

– Podemos olhar sua aldeia?

Num gesto rápido com uma mistura de ódio e querendo vingança, Ventania olhou o militar de cima abaixo. Seu sangue começou a ferver nas veias. Mas lembrou-se das palavras doces e do rosto de Lua Vermelha, e decidiu que não valia a pena lutar mais.

Osmar Barbosa | 155

– Ibirajá, leve nossos visitantes aonde eles quiserem olhar. Fiquem à vontade e partam daqui o quanto antes.

– Obrigado, senhor. Assim que terminarmos a vistoria iremos embora.

Assim o fizeram. Após vasculharem toda a aldeia e nada encontrarem, os militares e os índios canelas se retiraram da aldeia.

Triste, Ventania caminhou pela aldeia cabisbaixo como nunca se viu. Todos sentiram uma enorme tristeza com o que estava acontecendo com o seu grande guerreiro. Algumas índias logo se insinuaram tentando agradar ao grande guerreiro oferecendo-lhe presentes como fazia sua amada Lua Vermelha.

Sua mãe lhe preparava comida, mas ele não conseguia sequer comer. Muito abalado e triste, o pobre índio perdeu a vontade de viver.

"E eis que um dos que estavam com Jesus, estendendo a mão, puxou da espada e, ferindo o servo do sumo sacerdote, cortou-lhe uma orelha. Então Jesus disse-lhe: embainha a tua espada; porque todos os que lançarem mão da espada, à espada morrerão."

Mateus, 26.51-52

A Viagem

No dia seguinte...

– Querida mãe, vou até o mar conversar com os espíritos.

– Vá, meu filho, mas tome cuidado, estarei a lhe esperar; não suporto ver você com toda essa tristeza em seu coração.

– Sabe mãe, tenho vontade de morrer e ir ao encontro de Lua Vermelha. Tenho pensado muito nisso.

– Não pense assim, tudo tem o tempo certo para acontecer, e na hora certa você estará de novo com seu grande amor.

– A vida não tem mais sentido para mim, minha mãe. Não consigo esquecê-la. Não me conformo com essa situação.

– Tenha calma e paciência – disse Jurema, acariciando o rosto de seu filho.

– Estou indo. Daqui a alguns dias eu volto. Quem sabe, semanas.

– Vá, mas tome cuidado. Estaremos lhe esperando, como sabes muitos dos nossos dependem de sua firmeza e determinação para seguirmos em frente.

- Eu sei, mas confesso que está muito difícil para mim, minha mãe.

Osmar Barbosa | 159

– Tudo passa, meu filho, tudo passa. Isso também vai passar.

– Até breve!

– Vá com os nossos deuses e siga seu caminho.

Ventania abraçou sua mãe despedindo-se dela. Jurema percebeu a tristeza do filho. Algo muito profundo atingia seu coração, e lágrimas correram por seu rosto ao ver o triste Ventania caminhar em direção a seu cavalo Trovoada.

Após três dias de viagem, finalmente ele chegou ao mar, seu oráculo, seu reduto espiritual. Sentou-se na mesma pedra como de costume. A pedra onde sempre se sentou ao lado de seu pai para os momentos de reflexão. Começou a conversar com os espíritos.

– Não sei onde errei. Não sei se devo acreditar no Deus dos padres. Tiraram de mim o que eu possuía de mais valor. Desgraçados, não me arrependo de nenhuma morte, mas não sei viver sem você, Lua Vermelha. Invoco a vocês, meus amigos e antepassados, a me ajudarem na dor que sinto dentro de meu peito, e a decidir o que fazer da minha vida, pois sem ela não quero mais viver.

Ventania chorou compulsivamente. Suas lágrimas misturaram-se às águas salgadas do mar, que caprichosamente batia com suas ondas na pedra em que o índio estava sentado. Ao longe, Trovoada relinchava fortemente chamando sua atenção e seu olhar. Algo estava acontecendo com seu lindo animal.

Ventania observou o animal a pular como se fosse picado por alguma coisa. Correndo, ele chegou até o animal que acabara de ser picado por uma cobra coral. Rapidamente o caboclo tirou uma faca da cintura e cortou o local onde a cobra injetou seu veneno, e com a boca começou a puxar e cuspir o veneno injetado pela cobra.

Mesmo todo o esforço em salvar a vida de seu animal, de nada adiantou. Trovoada não resistiu e morreu poucas horas depois, deixando-o ainda mais triste.

Ventania arrastou seu animal para uma pequena mata próxima para que servisse de alimento para as demais espécies que viviam ali. Sabia ele que mesmo mortos os animais serviam de alimento para outras espécies.

Juntou suas coisas e armou uma pequena barraca na areia da praia, para que pudesse ficar ali por alguns dias, pois não pretendia voltar para a aldeia tão cedo. Seu plano era ficar algum tempo longe de tudo e de todos com seus pensamentos totalmente voltados para seu grande amor.

Inconformado, nem mesmo se preocupava em como voltaria para a aldeia. No fundo, achava que não voltaria.

Durante a noite fria, Ventania sonhou com Lua Vermelha que lhe apareceu reluzente envolta em uma densa nuvem de cor violeta. Carinhosamente ela chamou por seu amado com a voz doce e meiga que sempre teve.

– Acorde, meu amor, acorde!

Atordoado com a visão e sem entender os acontecimentos, o jovem caboclo acordou assustado.

– Quem me chama?

– Sou eu, sua amada, Lua Vermelha!

– Lua… consigo vê-la novamente, meu amor, estou com muitas saudades de você. Dói-me muito sua ausência aqui do meu lado…

Flutuando sobre a luz a poucos centímetros do chão, Lua Vermelha tentou tranquilizar seu amado.

– Fique calmo e mantenha-se vivo, pois você ainda precisa passar por muitas coisas antes de me encontrar.

– Leve-me com você. Não suporto sua ausência.

– Seja forte como grande guerreiro que você sempre foi. O tempo será seu aliado para estar de novo ao meu lado.

– Como assim? Não quero mais viver aqui.

– Você sente agora em seu peito a dor do arrependimento, e essa ferida só se cicatrizará quando modificares seu coração. O que você fez foi muito grave à lei de Deus. Muitas vidas foram interrompidas pelas suas mãos, ou pelo seu comando. Sua atitude e decisão interferem agora em sua vida eterna.

– Mas Lua…

– Você deve passar pela modificação necessária para estar em um bom lugar quando saíres desse plano em que você vive agora.

– Não estou entendendo o que você está me dizendo.

– É simples, modifique-se, faça o bem, arrependa-se e peça a Deus que perdoe suas faltas, assim conseguirás o tão sonhado encontro comigo.

162 | O Guardião da Luz

– Eu me arrependo muito de ter matado aquelas pessoas. Mas esse Deus tem que entender que eu não fiz isso sozinho.

– Sabe, Ventania, por vezes você não precisa fazer nada. Basta estar de acordo com o mal e você já fará parte dele. Aquele que faz o mal atrai para si as coisas do mal.

– Começo a entender agora o que me dizes.

– Isso mesmo, meu amor. Reflita sobre suas atitudes, seus gestos, suas palavras e as modifique, isso irá lhe ajudar muito.

– É, eu não devia ter ouvido Cauiré. Poderíamos simplesmente ter expulsado os padres. Não havia necessidade de assassiná-los. Aquele maldito ataque aos índios na estrada também intensificou tudo.

– Agora não adianta lamentar. Agora tens que agir e modificar-se, tornar-se ainda melhor – disse Lua Vermelha, aproximando-se do caboclo.

– O que tenho que fazer para estar com você, meu amor? O que preciso fazer? Diga-me, que farei o que for para estar de novo ao seu lado.

– Terás, como todos têm, oportunidades de ajustamento moral. Só depende de você o seu futuro.

– Devia ter ouvido meu coração quando tomei a decisão de atacar os padres. Sabe, meu amor, naquela noite senti algo muito estranho dentro de mim. Mas preferi fugir deste sentimento e liguei-me aos amigos para praticar o mal.

– Sim, é isso mesmo. Deus fala em nossos corações. E Ele nunca abandona Seus filhos, mesmo os mais errantes.

Osmar Barbosa | **163**

O peito do caboclo encheu-se de uma paz nunca sentida por ele. Agora mais calmo, ficou admirando a beleza da jovem índia, que estava ainda mais linda com suas tranças que embelezavam seu corpo fluídico a flutuar sobre as areias daquela linda noite de luar.

– Sempre achei você a índia mais linda de todas as índias do mundo. Agora parece que você é um anjo que veio me ver.

– São seus olhos, Ventania. O que acontece é que quando voltamos ao mundo espiritual readquirimos a forma anterior. É assim com as coisas do lado de cá.

– Leve-me com você, por favor!

– Infelizmente não posso fazer isso, mas saiba que sempre estarei ao seu lado, em todos os momentos.

– Deus, perdoe-me por minhas falhas – suplicou o caboclo, agora arrependido.

– Belas palavras, meu amor! É assim que você vai conseguir estar comigo. Lembre-se sempre de pedir a Deus a misericórdia, e tenho certeza que Ele lhe ouvirá. Arrependa-se e peça perdão todos os dias.

– Lua Vermelha, perdoe-me por não ter salvado sua vida.

– Tudo acontece conforme a vontade de Deus. Você não teve culpa. Não há acasos na vida material e muito menos na vida espiritual.

– Entendo.

– Agora volte para a aldeia e cumpra sua missão. Cuide de todos, seja justo, honesto e bom. Faça o bem.

– E você, vai para onde?

– Estou no mundo dos espíritos. Estarei esperando por você. Sempre. Mas lembre-se de pedir em oração a misericórdia divina. E faça por onde.

– Não sei muito bem o que é isso. Mas vou seguir suas orientações e apressar-me para estar ao seu lado.

– Não se apresse. A vida o conduzirá até mim.

– Não me deixe. Por favor...

– Tenho que ir. Mas estarei sempre ao seu lado. Ventania, a vida não se resume a essa existência, lembre-se disso. Sempre. E lembre-se também que eu te amo por toda a eternidade.

– Lembrarei, meu amor. Eu também te amo para sempre – disse Ventania com lágrimas nos olhos.

Lentamente a imagem de Lua Vermelha desapareceu em meio à neblina que a envolvia. Ventania pareceu despertar de um sonho real. Ficou quieto sem mesmo mexer seu corpo e refletiu sobre os ensinamentos passados por sua amada.

"Está escrito que nem só de pão viverá o homem, mas

de toda a palavra de Deus."

Lucas 4.4

Depois de alguns dias...

Seus pensamentos estão melhores. O cacique Ventania percebeu que deveria aprender a conviver com as ausências e com sua dor. E, além disso, sua tribo precisava do grande chefe guerreiro de volta. Atento aos ensinamentos recebidos de sua amada, resolveu seguir em frente. Com muita saudade de todos, decidiu voltar para casa.

Sabia que teria um longo caminho pela frente sem seu cavalo. Em uma sacola presa à cintura, ele carregava ervas que encontrava pelo caminho. Levava ainda sobre as costas uma sacola com frutas colhidas na orla da praia. Pequenos araçás serviam de alimento para o índio ainda muito triste.

Logo cedo começou o caminho de volta pela trilha costumeira. Apreciava a paisagem agora com mais calma, e estando a caminhar conseguia sentir o verdadeiro cheiro da mata, tão querida por esse nobre guerreiro.

Em seus pensamentos, recorda-se das caminhadas que fazia com sua amada, indo sempre que possível tomar banho de rio com ela. Era um momento muito especial, em que as conversas eram mais animadas e felizes. Recorda-se do sonho e sente alívio em seu coração.

Por vezes desejava desistir da vida, mas seu íntimo lhe dizia para seguir em frente com sua missão diante de tantos índios que dependem de suas decisões para serem felizes.

Ventania sente o peso da responsabilidade depositada em seus ombros pelo tão querido pai, e então começa a fazer planos para o futuro de sua gente.

Logo os pensamentos ruins se dissipam em sua mente, agora quer conquistar mais poder entre os seus e ensinar as crianças a serem índios de verdade, e quem sabe, aceitar os padres.

Caminha lentamente a observar as aves e os animais que cruzam seu caminho constantemente; sabe que não é hora de caçar, pois se abater algum animal terá que carregá-lo por longo caminho até sua aldeia.

Prefere ouvir os cantos e observar toda a beleza da perigosa mata virgem.

Caboclo guerreiro, criado em meio a todos estes perigos, não se preocupa com detalhes e segue caminhando por longas horas até que a noite chega.

Procura uma árvore frondosa que lhe ofereça galhos onde possa dormir uma noite de sono tranquilo.

Sabe que deve dormir no alto, para não virar presa fácil dos predadores da noite.

Ao encontrar um jequitibá, corta alguns cipós e amarra galhos, unindo-os para formar uma espécie de rede na parte mais alta da árvore. Deita-se e dorme.

Corujas piam como se comemorassem a presença de Ventania, mas isso não o incomoda e ele dorme em sono profundo.

Aparição

Ventania foi suavemente acordado por uma brisa gostosa que invadiu a mata. Dentro desta havia uma luz brilhante muito forte, mas que não ofuscava sua visão, muito pelo contrário, parecia lhe afagar a alma.

Ficou assustado com a aparição, mas dentro de seu peito sentiu uma paz inexplicável que o deixou extremamente bem e feliz, pois sabia que Lua Vermelha estava de volta para revê-lo. Ventania então esfregou bem os olhos no intuito de buscar enxergar melhor a imagem que se formava diante de si, enquanto esta se aproximava dele. Quando escutou a voz suave de Lua Vermelha, tremeu de alívio e alegria.

– Meu amor…

Assustado e tentando tocá-la, Ventania ajoelhou-se diante da bela índia, extasiado com a visão.

– Lua, que bom que você veio de novo me ver! Você não sabe o quanto me enche de alegria e paz vê-la novamente diante de mim.

– Sim, meu querido e amado caboclo. Sabes o quanto eu te amo e o quanto eu sinto por não estar próxima a ti, não sabes?

– Sei, meu amor. Volte para mim! Volte, por favor!

– Fique calmo, querido. Em breve nos encontraremos e poderemos viver juntos por toda a eternidade, como sempre conversávamos em nossas tardes de amor e carinho.

– Refleti muito sobre suas palavras e decidi tocar a vida em frente, corrigindo tudo que é preciso corrigir, para conseguir logo ficar próximo a ti.

– Faça isso, pois se o fizer terás a possibilidade de me encontrar. A vida nos é dada para que possamos vivê-la intensamente até o fim. E é isso que tens que fazer.

– Conheço essa lei. Agora aprendi que a morte não é o fim e que não devemos fazer uso dela para resolver nossas dores e nossos problemas. O simples fato de morrer na Terra será sempre o renascimento no céu.

– Isso mesmo, meu amor. Deves viver intensamente, seguir seu caminho e um dia estaremos juntos novamente.

– A saudade é grande em meu peito. Sei que fui o grande culpado por sua morte. Não deveria ter feito tudo o que fiz e da forma como foi feito.

– Seu arrependimento já é uma grande vitória, um grande começo. Quando sair da Terra terá a possibilidade de resgatar suas faltas. E espero que consigas vencer mais essa batalha.

– Por você, para reencontrá-la, farei e faço qualquer coisa, você sabe disso.

– Isso mesmo, meu amor! Pense assim e viva em paz. Estarei na eternidade lhe esperando para, juntos, seguirmos os desígnios divinos.

– Não vá agora, fique mais… por favor, Lua…

– Não posso, meu amor. Fui autorizada a lhe visitar com a condição da brevidade, pois o amor latente em meu peito está doendo muito, muito mesmo.

– Perdoe minhas faltas – desabafou Ventania com lágrimas nos olhos.

– Não sou eu quem tem que lhe perdoar. Você deve buscar melhorar-se e vencer todas as batalhas evolutivas. Saiba que estarei lhe esperando…

– Irei cumprir meu dever de cacique e tentar melhorar a vida de todos de nossa aldeia. Prometo-lhe isso do fundo da minha alma.

– Pense sempre no bem. Não ajas mais por impulso. Seja justo. Seja bom e tudo se dará a contento entre nós. Te amo e sempre te amarei.

– Te amo, Lua. E ainda te reencontrarei.

– Esta é a segunda vez em pouco tempo que consegui vir aqui para ver você. Mas só me foi permitido, porque você não pode esquecer-se da misericórdia, lembre-se sempre disso.

– Pode deixar, vou pedir misericórdia sempre.

– Beijo, meu amor!

– Beijo, minha Lua Vermelha!

Assustado e confuso, mas ao mesmo tempo feliz e extasiado com a visão, Ventania já não conseguia ficar triste. Fez diversos planos para desfazer todo o mal que causou aos padres e às freiras, além de tantos outros que experimentaram a fúria de sua lança, inclusive os animais.

Após alguns dias caminhando, finalmente chegou à aldeia e foi saudado por todos com um banquete especialmente preparado por todos os seus amigos e familiares para recebê-lo com todas as honras.

Logo decidiu fazer diversas alterações na vida da aldeia. Convidou outros guerreiros a se desfazerem das armas de fogo conquistadas na batalha contra os padres e a voltarem a usar as armas que sempre os mantiveram tradicionalmente como índios.

Alguns discordaram da decisão de Ventania, mas com palavras sábias ele convenceu toda a tribo a fazer e viver para o bem. Agora unidos, todos viviam uma vida de felicidade e paz.

A aldeia não parava de crescer. As famílias viviam felizes com a nova forma de administrar do jovem cacique.

Várias festas foram realizadas, e as plantações foram ampliadas para que pudesse atender a tantos índios que da mesma etnia se aproximavam e preferiam viver ao lado do grande Cacique Ventania. A felicidade era extrema na aldeia.

Uma das medidas mais polêmicas foi o decreto de Ventania que proibia a caça. Ele convenceu toda a tribo a conviver com os animais da floresta de forma amistosa. Todos se tornaram vegetarianos e passaram a viver em paz com os deuses das matas e demais elementos da natureza.

"Porque onde estiver o vosso tesouro, aí estará
também o vosso coração."

Jesus Cristo, em Mateus 6.21

Recomeço

Muitos anos se passaram de alegria e bonança na aldeia do Cacique Ventania. Ele era agora um homem velho e toda sua tribo seguia muito feliz. Ibirajá, seu fiel amigo, o procurava nessa manhã de inverno.

– Ventania, preciso lhe falar!

– Diga, Ibirajá!

– Minhas filhas estão a me questionar sobre o porquê de você não ter se casado mais. Já falei várias vezes que a dor e a saudade de Lua Vermelha lhe impediram de conseguir estar com outra mulher. Mas elas me questionaram quem irá sucedê-lo...

– Querido e fiel amigo, isso não me preocupa.

– Mas todos da aldeia desejam saber sobre isso. Tens alguma coisa em mente?

– O tempo será o encarregado de resolver isso. Sinto-me ainda bem e capaz de levar nossa tribo adiante por muito e muito tempo.

– Sei perfeitamente disso, mas existem acasos e não quero desejar-lhe o mal, mas ele existe. E se alguma coisa lhe acontecer? Como ficaremos?

– Pensando bem, você tem razão. É hora de escolhermos quem me sucederá quando voltar para a vida eterna e encontrar meu amor.

– Não estou forçando nada, que fique bem claro. Só me preocupo com nossas crianças.

Um silêncio se fez, o que permitiu que Ventania refletisse um pouco. E então ele quebrou o silêncio falando para Ibirajá.

– Você tem razão. Avise a todos que iremos realizar uma competição dentro de nossas tradições, e aquele que for o grande vencedor será o que vai me substituir no comando de nossa aldeia. Faremos isso na próxima lua cheia.

– Sempre és sábio. Avisarei a todos.

– Faça isso, amigo!

– Meu pai e minha mãe tiveram outros filhos. Mas o que deveria me suceder certamente seria o filho mais antigo da tribo, mas não vejo justiça entregar o comando a pessoas velhas e despreparadas. Por isso, entregarei nossa aldeia àquele que melhor estiver preparado para atender a todas as necessidades evolutivas de nossa gente, que saiba dar continuidade a tudo o que criei e implementei entre nosso povo.

– Isso mesmo, Ventania, é assim que se fala! – avisarei a todos.

– Vá e organize tudo!

Ibirajá convocou todos os índios a prepararem a grande competição e a festa em homenagem ao novo cacique que será nomeado após vencer as competições.

Durante seis dias a festa e as competições foram realizadas. Ventania, já impossibilitado devido à sua idade, não participou das competições. Porém participou efetivamente de todo o evento dando exemplo aos mais jovens.

Costumes e tradições foram mantidos. Tudo foi ensinado aos jovens. Várias aldeias foram convidadas, e a festa foi grande e muito bem preparada pelas índias mais velhas. Todos se divertiram com muita alegria.

Ao final do sexto dia, o índio Aruanã foi sagrado o grande vencedor de todas as competições, o que deixou muito orgulhoso seu pai, Ibirajá.

Ventania então convocou a todos para a cerimônia de posse do novo cacique da aldeia Crioli e transmitiu com muito orgulho os poderes que lhe cabiam na tribo.

– Sempre lhe admirei muito, meu amigo. E agora vejo que seu caráter é muito forte, e que sempre se cumprirão nessa aldeia suas vontades, e que você sempre prezou pelos nossos costumes, Ventania.

– Agradeço, Ibirajá. Fico muito feliz em ter sido seu filho o grande vencedor. E a ele entrego meu cargo com muito orgulho.

– Meu filho jamais irá lhe desapontar.

– Obrigado, amigo!

Mais tarde, ao fim da noite, já muito cansado, Ventania resolveu descansar em sua oca.

– Preciso descansar. Estarei em minha oca, se precisar de algo.

– Vá descansar e lembre-se que você sempre será o grande conselheiro de nossa tribo.

– Obrigado, amigo! Obrigado.

A festa ainda continuou por dois dias. Os jovens comemoraram e reverenciaram o novo cacique. Trinta dias após a cerimônia Ventania foi acordado por uma intensa névoa que invadiu sua oca.

– Ventania, acorde...

E de dentro da linda luz surgiu Lua Vermelha. Ao ouvir a doce voz de sua amada, Ventania despertou, ansioso.

– Meu amor! Que saudades! Você nunca mais apareceu para mim, pensei que tinhas me esquecido.

– Não fale nada. Fique quieto e ouça o que tenho a lhe dizer. Irás agora desencarnar e visitar terras distantes onde não poderei estar com você. Os assassinatos daquelas duzentas pessoas lhe pesam muito na alma, e é necessário que passes por provas para acertar suas falhas e afinar suas vibrações. Não se sinta profundamente culpado, pois não tinhas a certeza da vida eterna, embora acreditasse nela. As leis devem ser cumpridas. Terás a oportunidade de viver pela eternidade no mundo dos espíritos, mas para isso deves aceitar os desafios que lhe serão entregues pelas próximas vidas.

– Como assim?

– Ouça e preste muita atenção em minhas palavras: eu sempre te amei e sempre estarei do seu lado na medida em que me for autorizado. Saiba que te amamos. Eu, seu pai e todos os nossos ancestrais estamos torcendo por você e orando para que você consiga cumprir tudo o que lhe foi determinado. A viagem é longa, mas tenha a certeza de que jamais deixarei de estar próxima a ti. E que meu amor transcende todas as esferas espirituais criadas pelo grande Deus que te ama, e que deseja que você seja realmente o guerreiro que fará com que muitas pessoas sejam ajudadas, ajustando-as às provas necessárias na Terra. Você terá um papel de guardião muito importante. O amor é o único aliado pelas esferas da eternidade. Alimente-o todos os dias, e nunca estarás sozinho. Tenha a certeza de que a felicidade plena é o objetivo da criação, mas para atingi-la necessário se faz a perfeição. Te amo e estou te esperando na vida eterna.

– Espere, espere! Precisa me ajudar a te encontrar – disse Ventania, desesperado.

– Descanse, e quando acordar verá o quanto te amamos.

Subitamente o caboclo perdeu a consciência e caiu em um sono profundo. Sentiu seu peito rasgar-se em uma dor profunda. Ventania morreu sozinho em sua oca em poucos minutos.

"Com o critério com que julgardes, sereis julgados; e, com a medida com que tiverdes medido vos medirão também."

Jesus Cristo, em Mateus 7.1-2

A Morte

Ventania despertou no mundo espiritual sem entender nada do que estava acontecendo com ele.

– Que lugar é esse? Onde estou? O que aconteceu comigo? Onde estão todos? Isso aqui é estranho, não há sol. Parece que não há noite também. Que lugar é esse? O que estou fazendo aqui?

Muito assustado, ele acordou em um lugar diferente, sombrio. O sol praticamente não conseguia transpor as nuvens negras e densas. As árvores não eram verdes e a água do rio que corria próximo a ele era escura. Pouca luz o envolvia. Tudo muito diferente do local em que ele vivia em sua aldeia.

Não havia animais. Apenas pássaros negros com grunhidos de lamento nunca ouvidos por ele. Um lugar triste e sombrio. Suas roupas estavam diferentes. Vestia calça e camisa escuras e muito sujas, com muita lama negra. Seus colares não estavam dispostos em seu peito e suas pulseiras lhe foram tiradas. Seus cabelos estavam soltos, não havia tranças. Ficou sentado em silêncio por algum tempo. Em sua mente voltaram os pensamentos e as palavras de Lua Vermelha.

Começou a pensar que estava, provavelmente morto, em outro lugar. Ficou ainda mais triste, pois imaginava ser totalmente diferente o lugar que poderia chegar quando chegasse sua morte.

Não tinha certeza de nada. Então resolveu deitar-se até pelo fato de seu corpo estar fraco e suas pernas sem forças. Com muita sonolência ele adormece rapidamente.

Na aldeia, Ibirajá é procurado por seu filho Aruanã que chega de forma alucinada e sem fôlego.

– Pai, pai, pelo amor de Tupã...

– O que houve, meu filho? Por que você está assim? Por favor, me conte – insistiu Ibirajá enquanto seu filho tentava recuperar o fôlego para terminar de falar.

– Pai, Ventania... ele morreu pai...Ventania morreu, pai... encontramos ele na oca... encontramos o corpo dele já morto, pai. Muito triste, pai!

– Meu deus Tupã! Que os espíritos de muita luz recebam esse grande guerreiro de uma forma acolhedora! Vamos providenciar os ritos sagrados de sua cremação.

– Pode deixar comigo, meu pai, mandarei providenciar tudo – disse Aruanã, muito abalado com o acontecido.

Durante três dias a aldeia realizou todos os rituais que buscam auxiliar na passagem tranquila do espírito desencarnado para o plano espiritual. Ibirajá foi intuído a reunir as cinzas do grande caboclo Ventania com as cinzas de Lua Vermelha, que lhe foram entregues pelo próprio caboclo.

Após alguns dias, as cinzas dos dois foram despejadas no rio Mearim. A correnteza seguiu seu curso e levou lentamente por seu traçado a união sagrada entre os últimos fragmentos de um amor intenso como nunca, e eterno.

Um grande monumento foi construído pelos índios em homenagem ao tão bravo guerreiro, um dos caciques mais importantes que os povos daquela região já viram, feito de pedra talhada pelo melhor artesão da tribo. É diante da escultura, em tamanho real, que os índios reverenciam o grande guerreiro. E assim, todos os anos, é celebrada a data de 21 de fevereiro como o dia do Caboclo Ventania.

‡ ‡ ‡

– Acorde, Ventania…Ventania, acorde!

Assustado com a visita inesperada, Ventania sentou-se em uma pedra cheia de lodo para admirar tamanha quantidade de luz que o cercava de uma forma jamais vista pelo caboclo em toda a sua vida. Aproximou-se dele um jovem de estatura mediana, vestido com roupas esquisitas e sandálias que trançavam os dedos do pé.

– Lembra-se de mim, índio?

– Não me recordo… quem é você? Onde estou? O que aconteceu comigo? – o vulto contra a luz dificultava a visão e entendimento do caboclo.

– Force sua mente, índio. Você vai lembrar.

Mesmo buscando lá no fundo da sua memória todas as amizades e conhecidos que passaram por sua vida, não teve jeito. Ventania não conseguiu

Osmar Barbosa | 187

reconhecer e recordar daquele homem de baixa estatura e de roupas estranhas e compridas, de voz mansa e que transmitia muita paz em suas palavras.

– Desculpe mesmo. Não consigo me lembrar.

– Você se lembra do seu pai?

– Sim, claro, me lembro sim.

– Pois então. Cuidamos dele até seus últimos dias lá no hospital dos padres...

– Meu Tupã! É você? Como assim? Você aqui? É Daniel, não é mesmo? "Frei Daniel", não era isso? Perdoe-me, não lembrei que era você...

– Isso mesmo, Ventania, sou eu mesmo. Que bom revê-lo... mesmo que seja por aqui.

– Por aqui? Aqui, onde?

– Fique calmo. Tudo vai dar certo, índio.

– Que bom que você veio me ver! Estou aqui neste lugar há algum tempo e não compreendo muito bem o que é isso aqui, ou o que está acontecendo. Sinto-me tão fraco e dolorido. Não consigo andar. Parece que alguma coisa me prende a este pequeno espaço que estou há dias... na verdade, nem sei por quanto tempo.

– Você está exatamente no lugar certo, pode ficar tranquilo. Nada nessa vida, ou em nenhuma outra, é por acaso. Este é o lugar apropriado pelas condições em que você viveu seus últimos dias.

188 | O Guardião da Luz

– Como assim? Continuo sem entender...

– Você tinha tudo para não estar aqui. Tinha tudo para ser recebido por seu grande amor, Lua Vermelha. Mas influenciado pelas circunstâncias e pelas más influências de pessoas equivocadas, você cometeu muitos erros, inclusive tirou vidas. E isso tem que ser resgatado por você para que você possa continuar sua trajetória evolutiva, caso você mesmo queira.

– Daniel, agora é que estou entendendo menos ainda. Cada vez menos.

– Vou lhe explicar. Posso sentar-me ao seu lado?

– Claro! Mas desculpe pela sujeira. Mas não compreendo nada. O que é este lugar?

– Não se preocupe com este lugar, ou com as características dele. Se é feio, sujo ou cheira mal. Preocupe-se com o que habita em ti, o que está dentro de você. Olhe para dentro de si.

– Entendo...

– Ventania, todos os espíritos foram criados para serem perfeitos. E, desta forma, as vidas que temos a oportunidade de usufruir quando vamos para a Terra são o instrumento justo da evolução. É o meio que lhe é oferecido para ajustar sua conduta e evoluir. Quando praticas o bem, vence com mais rapidez estas provas. Quando, por algum motivo impensado e insano cometes algo de ruim, estais atrasando seu progresso evolutivo e daí lhe será cobrado com as mesmas moedas, suas dívidas morais.

Osmar Barbosa | 189

– Eu sei que cometi muitos erros, impulsionado pelo ódio e pela vontade de impor minhas vontades, Daniel. Muito me arrependo por tudo que fiz. Lua Vermelha me apareceu em alguns sonhos e muito me ajudou a compreender tudo isso.

– Fique tranquilo, Ventania! Sendo o Criador justo, lhe oferece oportunidades de resgate. Algumas vezes você pode resgatar várias dívidas com um só pagamento. Mas isso não é uma regra. Isso é uma exceção que me foi autorizado lhe oferecer. E você deve muito dessa misericórdia a Lua Vermelha.

– Sim, ela sempre me falava dessa tal misericórdia.

– Isso mesmo, Ventania. Lua Vermelha, já quando encarnada, era, e é, um espírito muito evoluído, e ela tem lhe ajudado muito. Ela encarnou para esta missão, você sabia? Auxiliar-lhe a iniciar seu resgate. E mais: já são diversas encarnações em que vocês estão juntos. Ela sempre querendo sua melhora espiritual. E só há um caminho para a redenção espiritual, Ventania. Apenas um.

– Qual é esse caminho, Daniel?

– A misericórdia divina, Ventania. E isso Lua Vermelha conseguiu adiantar para você.

– Entendi, Daniel. Mas então, como posso resgatar minhas falhas?

– Preste muita atenção.

Antes mesmo que Daniel explicasse a Ventania, ele impõe seu desejo mais profundo e importante.

– Peraí, mas isso me ajudará a estar perto de Lua Vermelha? Onde ela está? Por que eu não a encontrei ainda como ela me prometeu?

– Infelizmente, não. Ainda não. Para que você consiga estar perto de Lua Vermelha você precisará vencer os desafios e pagar toda a sua dívida até o último centavo.

– Mas como assim? Isso não é justo!

– Sim, isso é justo. É o mais justo de tudo.

– Fui um índio bom. Um grande guerreiro. Cacei para alimentar meu povo. Lutei por nossas crianças. Fui um cacique justo e bom. E agora tenho que pagar essa dívida aí toda? Sei que errei quando participei do massacre. Mas Lua Vermelha me orientou e disse-me o que eu poderia fazer para melhorar minha condição.

– Ventania, no fim a coisa funciona como uma conta corrente. O problema é que seu débito foi muito maior do que você conseguiu recuperar de crédito. Você ceifou vidas de pessoas. Alguns eram espíritos de muita luz, religiosos, até crianças sofreram com o massacre. Agora tens que resgatar com cada uma delas. E saiba que matar os animais como você tanto fez, também tem sua parcela de débito perante a Criação.

– Não poderíamos caçar? E depois eu aboli essa prática na minha tribo. Mas eu não sabia de tudo isso. E agora?

– Não se deve caçar nem para comer. Os animais são seus irmãos caçulas. São espíritos em processo evolutivo, e você matou muitos. O Criador nos dá tudo que precisamos para sobreviver direto da natureza por meio das frutas, verduras e legumes.

– Mas os animais também se matam, não? Como isso pode acontecer?

– Eles não se matam gratuitamente. Eles sobrevivem, e é por meio da sobrevivência que adquirem e se desenvolvem. É por meio destas experiências que adquires o sentimento de amor, de defesa e outros tão necessários à próxima vida em outras formas. Esses dons só se adquire por meio das vivências nas psiques.

– Como assim?

– Necessário se faz que todos os sentimentos nos espíritos sejam apurados para atingires a perfeição. Desta forma, todos os espíritos passam por diversas experiências, dentre elas a mineral, a vegetal e a animal.

– Minha nossa, é muita informação...

– Calma, você vai compreender tudo com calma! Mas preciso lhe falar. Só estou aqui porque Lua Vermelha tem orado muito por você e foi ela quem conseguiu convencer a mim e aos demais espíritos evoluídos a dar a você esta oportunidade.

– Agradeço-lhe, mas acho que ainda não entendi que oportunidade é essa. E não posso deixar de fazer algo: queria lhe pedir perdão por ter participado do massacre a seus amigos e às freiras.

– Ventania, não existem acasos na lei de Deus. As dificuldades que se apresentam em nossas vidas devem ser tratadas como oportunidades. Não se devem tomar atitudes que possam refletir para sempre em sua alma. Você teve a oportunidade de conviver conosco, mas escolheu fazer o que fez.

– E isso é permitido? Como deixam?

– Sim, há algo que chamamos de livre-arbítrio. Com ele você pode fazer o que quiser. Lembre-se que Deus permite que plantes as sementes que desejar, porém a colheita é obrigatória a todos da criação. O que plantas, colhes, esta é a lei. A lei da causa e efeito. Agora você terá uma única oportunidade para seguir aperfeiçoando-se e tornando-se um ser melhor.

– Então me diga: que oportunidade é essa? O que eu tenho que fazer? Já estou curioso por demais.

– Vou explicar-lhe. Mas antes vale alertá-lo: se você não quiser, não tem problema algum. Como tudo, é uma decisão sua – afirmou pausadamente Daniel para não deixar nenhuma dúvida.

– Tá bom, fechado. Pode explicar.

– Pois bem. Está sendo criada no mundo espiritual uma colônia chamada Amor e Caridade. Muitos estão sofrendo com uma doença que cresce a cada dia e que fará muitas vítimas no plano material. É uma enfermidade causada principalmente pelos hábitos de alimentação equivocados, repletos de químicas, e pelos hábitos errados que as pessoas cada vez mais insistem em assumir, com muito rancor e angústias acumuladas. Essa colônia é que passará a tratar das pessoas e crianças que desencarnarem na Terra com essa doença.

Essa doença será conhecida como "câncer", e muitos centros espíritas espalhados pelo Brasil serão a porta de entrada de nossa missão.

– Meu deus Tupã, que incrível isso tudo!

– É verdade, Ventania. Muitos chegarão a estas casas espíritas terrenas trazidas por seus mentores e anjos de guarda para que ali sejam confortados e recebam a palavra da verdade. Serão evangelizados tomando consciência da vida eterna. Alguns receberão a misericórdia divina e conseguirão ser curados. Outros, simplesmente compreenderão e aceitarão sua passagem para o mundo espiritual de uma forma muito mais preparada.

– Peraí, peraí! Que história é essa de anjo da guarda? Eu nunca ouvi falar disso.

– Todos os espíritos, com o passar das vidas e das experiências evolutivas, afinam-se a outros espíritos e esses normalmente são os anjos da guarda que compreendem e aceitam a missão de auxílio, convivendo diariamente com seu protegido na Terra.

– Mas então onde está o meu anjo da guarda?

– Quando você desencarna ou morre, o seu anjo volta ao lugar de partida da missão. Sendo assim, os anjos da guarda voltam às colônias espirituais onde vivem e ficam a esperar pela oportunidade de auxiliar de novo seu protegido. Só se é anjo da guarda quando se é um espírito já evoluído.

– Então algum espírito amigo meu me acompanhou por toda a minha vida na Terra?

194 | O Guardião da Luz

– Sim. Isso mesmo!

– E quem é esse espírito?

– Isso você saberá na hora certa. Deixe-me continuar a lhe explicar nossa missão.

– Está bem, pode continuar, desculpe.

– Então vamos lá: estou encarregado neste momento de formar as equipes que trabalharão nestes planos, realizando acompanhamentos espirituais e auxiliando estes irmãos para os desafios diários da vida na Terra. Isso porque muitos desistirão da vida achando que tudo acabou.

– Peraí, peraí, mas o que são planos?

– São como aldeias, ou cidades. Umas melhores, outras piores, como esta onde você está agora. Prosseguindo, sua missão em especial será afastar as energias negativas desses irmãos por meio de processos desobsessivos. É aí que você entra.

– Eu? Mas por que eu?

– Sim, você! Outros espíritos cuidarão de outras missões. Você está sendo recrutado para esta missão pela sua fibra e destemor de guerreiro. Precisamos de um espírito forte para atuar nessa missão de guardar a segurança, tanto das cercanias da colônia, quanto das pessoas que você atenderá na Terra. Um guardião que proteja as pessoas, limpe as energias ruins delas e as ajude a enfrentar as forças do mal que tanto crescem no plano material.

– Mas por que logo eu seria esse guardião?

– Por você ser índio, guerreiro, conhecedor dos mantras de curas e respeitado entre todos esses espíritos, caberá a você afastar de perto desses irmãos espíritos negativos e levá-los para bem longe, para que nós possamos realizar outros processos de ajuda espiritual neles, de cura de enfermidades causadas pela excessiva convivência e exposição a essas energias. E além do mais você conhece todas essas energias, os elementos vitais à vida humana, os elementos vitais da natureza.

– Acho que estou compreendendo aos poucos… mas o que eu ganho com isso?

– Não há pagamentos para essa obra. O que há é a oportunidade de resgatar os duzentos assassinatos que você e seus amigos cometeram, entre outros débitos morais que você acumulou nesta última passagem pela Terra.

– Mas vou pagar a conta sozinho?

– Não importa o tamanho da dor e sim o tamanho do remédio. Repito: olhe para dentro de você, não para os outros.

– Desculpe-me… mas quando poderei estar com a minha amada, Daniel? Estar distante dela me faz muito mal. Minha existência não tem mais razão de ser, entende?

– Assim que você assumir suas responsabilidades com esta missão, farei a intercessão necessária à nossa mentora para que você possa encontrar com sua amada. Não sabemos se será atendido, mas prometo tentar com afinco.

– Mentora? Quem é essa tal de mentora?

– A menina Catarina de Alexandria.

– Eu posso falar com ela? Pedir para ver Lua Vermelha?

– Ainda não. Primeiro você precisa assumir esse compromisso e começar seu trabalho. Só quando você evoluir é que conseguirá acesso às esferas mais superiores.

– Entendi. Posso ter alguns ajudantes?

– Sabemos que com todo o conhecimento e experiências adquiridas durante suas vidas como índio e principalmente como líder dessas tribos, você pode contar com seus amigos índios e organizá-los, agora para fazer o bem e não para fazer o mal.

– Se posso contar com todos e isso me levará à Lua Vermelha, assumo então essa missão. Aceito seu chamado, Daniel.

– Sou apenas o porta-voz. O chamado é de nossa mentora. Você será subordinado a outro espírito amigo que está conosco nesta missão.

– Sem problemas. Quero evoluir e farei tudo que for preciso.

– Sabemos disso. E para isso você será o nosso guardião da luz que muito auxiliará as pessoas na Terra a se purificar e a se proteger das vibrações de baixa densidade emanadas pelos espíritos obsessores.

– Se é isso que preciso fazer, assim o farei. Basta que eu seja treinado que serei o melhor guardião da luz que o mundo espiritual já teve a oportunidade de conhecer.

– Deus lhe proteja e lhe dê muita luz, Ventania, para que você possa honrosamente cumprir todo o seu resgate nos ajudando nessa nobre missão.

Daniel juntou as mãos aos céus em agradecimento.

– Deus seja por nós!

– Obrigado, Daniel. Pode contar que vou cumprir toda a minha missão de resgate e ajudarei aqueles que em busca de conforto, paz e prosperidade espiritual, buscarem a Colônia Amor e Caridade.

– Deus seja louvado!

– Louvado – repetiu Ventania, emocionado.

– Agora vamos. Chegou a hora de levá-lo até a colônia para que conheça alguns dos espíritos amigos que estão envolvidos em nossa missão. Feche os olhos, por favor.

Carinhosamente, Daniel passa a mão sobre a vista do caboclo. Na sequência, pega em uma das mãos de Ventania e o transporta até os portões da Colônia Espiritual Amor e Caridade.

A Acolhida

– Posso abrir os olhos? – indagou Ventania, curioso.

– Sim, pode.

Ao abrir os olhos, Ventania sentiu pulsar em seu coração uma alegria indescritível. Seu peito se encheu de ar, o que o fez soltar um brado de um grande guerreiro. Daniel sorriu e perguntou ao índio enquanto eles adentravam juntos pelo portão principal da Colônia.

– Gostou, Ventania?

– Nossa! Por Tupã! Que lugar lindo! Olha essas árvores! E essas plantas! E este lindo riacho! Que lugar é esse?

– Isso é uma colônia espiritual, Ventania. Essa é a Colônia Amor e Caridade.

– Lua Vermelha está aqui?

– Pode ser. Mas pode ser também que não exatamente como Lua Vermelha.

– Como assim?

– Aqui adquirimos nossa forma anterior, se for de sua vontade e se assim

Osmar Barbosa | 201

desejarmos. E também nosso nome. Mas mantenha a calma, que com o tempo você vai compreender tudo.

Um lindo arco de intensa luz dourada servia de portal de entrada para a ala central da colônia onde vários espíritos estão a caminhar. Uns conversam entre si. Outros apenas caminham lentamente admirando tamanha beleza e refletindo.

– Mas quem são essas pessoas? – perguntou Ventania.

– São espíritos como eu e você. Alguns estão aqui para se ajustarem. Outros, são trabalhadores de nossa colônia. Venha, vamos ali ao galpão central.

Caminharam por toda a colônia até finalmente chegarem ao amplo galpão onde se dirigiram até a sala de Daniel. Marques, o esbaforido auxiliar de Daniel, recebeu ambos com alegria.

– Bem-vindo, Ventania!

– Muito obrigado!

– Seja muito bem-vindo à Colônia Amor e Caridade.

– Obrigado… como é seu nome?

– Marques! Eu ajudo o Frei Daniel no dia a dia da colônia. É muito trabalho, mas adoro.

– Marques, por favor, chame Rodrigo aqui. Preciso conversar com ele e Ventania juntos.

– Sim, senhor, estou indo. Espere que já volto. Pode deixar. Já, já estarei aqui com Rodrigo, senhor.

– Nossa, ele é sempre assim? – perguntou Ventania após a saída afobada de Marques.

– Sim, Ventania, essa é uma característica do Marques. Sempre apressado em agradar e auxiliar.

– Engraçado ele. Parece comigo, rápido como o vento (risos).

– É mesmo! Mas é você que tem o nome de Ventania – os dois riram juntos.

– Mas, então Daniel, quem é esse Rodrigo?

– É um dos líderes que estão conosco nessa nobre missão. Ele é o responsável pelas casas espíritas espalhadas no Brasil e coordena todas as atividades nessas casas.

– Ah, entendi. Então é com ele que vou trabalhar?

– Sim. É a ele que deves atender. Ele coordena todas as atividades espirituais de uma casa espírita, e você será responsável por uma delas: a desobsessão de espíritos maléficos de perto das pessoas de bem que procurarem a casa. Você será o guardião da luz dessas pessoas, não permitindo que a energia negra impregne seus perispíritos.

– Compreendo.

Logo a porta se abre e surge o cigano Rodrigo com sua cor morena e seu sorriso comedido, de dentes brancos como as nuvens.

Osmar Barbosa | 203

– Ora, ora, este então é o índio sobre o qual você me contou, Daniel... agora começo a entender tudo que me comentaste a respeito...

Moreno alto, de olhos azuis, vestido com uma linda roupa cigana de cor branca, Rodrigo logo estendeu as mãos para cumprimentar seu mais novo companheiro de trabalho.

– Olá, Rodrigo! Ou devo chamá-lo de "cigano"?

– Como quiseres, meu caro. O que preferir. Seja bem-vindo, Ventania, a esta nobre missão! Suponho que se estás aqui com o Frei é porque aceitastes a missão, não é mesmo?

– Isso mesmo, Rodrigo. Nosso querido índio nos ajudará na desobsessão na Terra – explicou Daniel sempre com a voz terna de costume.

Admirado com tamanha beleza em um só espírito, até mesmo pela energia contagiante e iluminada, Ventania não conseguiu disfarçar sua admiração imediata por aquele cigano de muita luz.

– O senhor é um homem muito bonito.

– Você vai descobrir, Ventania, que ele é bonito de verdade é por dentro – elogiou Daniel. Sorrindo para os dois, Rodrigo agradeceu.

– *Muchas gracias*, Ventania. *Muchas gracias*, Frei. Isso é resultado de muito trabalho e muito esforço. Você aparenta a qualidade da energia que emana de seus poros, meu querido guerreiro.

– O senhor se veste de forma diferente, por quê?

Rodrigo puxou duas cadeiras e sentou-se próximo do mais novo amigo, convidando Ventania a sentar-se próximo a ele diante da mesa de Daniel, que também se acomodou em seu lugar.

– Em primeiro lugar, gostaria de lhe pedir que não me chame de senhor. Façamos assim: chame-me de Rodrigo. Bom, agora que você já conversou com Daniel e aceitou sua missão, estás pronto para o trabalho.

– Sim, compreendi que preciso ajustar-me a esta nova realidade e aceito o desafio de servir ao próximo para minha melhora espiritual.

– Ótimo! Fico muito feliz que compreendestes que só existe este caminho.

– Sim, eu sei que errei quando me juntei às pessoas erradas e cometi atos impensados. Agora tenho que pagar.

– Tire isso dos seus pensamentos. Sua missão agora é uma missão de resgate e estou disposto a lhe ajudar a atingir seus objetivos – disse o cigano, emocionado.

– Obrigado, Rodrigo. Só tenho a agradecer a você e ao Frei Daniel.

– Não tens que me agradecer. Agradeça sempre a Jesus Cristo por permitir que com sua dedicação e determinação atinjas a tão sonhada evolução espiritual.

– Preciso compreender melhor essa história de Jesus.

– Ficarás algum tempo aqui na colônia a estudar as leis de Deus. Terás a oportunidade de compreender a Criação e tudo mais. Fique tranquilo.

Osmar Barbosa | 205

– Agradeço a oportunidade.

Daniel intercedeu educadamente.

– Ventania, aqui em nossa colônia dispomos de um galpão onde são ministradas aulas. É lá que você irá passar muito tempo, aprendendo e estudando as leis divinas.

– Obrigado, Daniel, pela oportunidade. Perdoem-me, mas estou muito encantado com tudo isso aqui. Afinal, fiquei durante algum tempo naquele lugar horrível sem entender direito o que estava acontecendo. Sozinho, sentindo fome e frio.

– Este lugar serve como purgatório para as almas que ainda não compreendem as leis divinas. Muitos ficam por lá durante muitos e muitos anos e até por séculos – explicou o cigano.

– Percebi que lá existiam outros que se compraziam com aquele tipo de vida.

– Isso é verdade. Os espíritos são livres e podem permanecer neste estado pelo tempo que quiserem. Mas ainda bem que este não foi o seu caso.

– Sim, quero ficar próximo de Lua Vermelha.

– Não contastes a ele, Daniel? – intervém Rodrigo.

– O que não me contastes? – diz Ventania, assustado.

– Não, Rodrigo, ainda não contei a ele; mas já expliquei que os espíritos quando saem da vida terrena podem adquirir seus nomes verdadeiros e formas anteriores.

– Calma, Ventania, que vou lhe explicar – diz Rodrigo.

– Lua Vermelha é um espírito que está há muito tempo em nosso grupo. Por diversas vezes esse espírito foi à Terra em missões de auxílio e resgate. O caso de Lua Vermelha é bem comum entre nós. Ela é um espírito que está há muitos anos a seu lado. Vocês já viveram diversas experiências juntos na Terra.

– Mas ela está aqui?

– Mais ou menos. Sim, ela está aqui e assim que possível você vai encontrar-se com ela. Mas neste momento ela está em nova missão. Ela é incansável, essa menina. Uma iluminada.

– Que bom, sinto-me aliviado.

– Fique tranquilo. Aqui não existe mentira.

– Perdoe-me se lhe ofendi.

– Não tens que me pedir perdão. Compreendemos seu estado. É assim mesmo. Todos logo que chegam ficam curiosos e assustados com tantas novidades.

– Bom, agora vamos ao que interessa – disse o cigano. E prosseguiu, sério.

– Você aceitou a proposta de Daniel de trabalhar comigo nas casas espíritas da Terra auxiliando-me nos trabalhos desobsessivos. Para que melhor compreendas a lei de Deus, esta que tudo rege, saiba que não foi por acaso que você viveu esta encarnação como índio. Você precisava conhecer e dominar as forças que os elementos da natureza, colocados no planeta Terra pelo

Criador, exercem sobre os indivíduos encarnados. Logo você vai compreender que estes seus conhecimentos serão muito úteis ao nosso dia a dia nas casas espíritas.

– Será ótimo se eu puder usar parte do conhecimento que já domino.

– E irá. Nos processos de desobsessão nós utilizamos essas forças elementares da natureza para realizarmos a limpeza necessária no perispírito das pessoas. E isso é necessário para a harmonização do corpo físico e também para que possamos realizar as cirurgias espirituais. Desta forma estamos auxiliando nossos irmãos encarnados a dar continuidade nas missões de provas e de expiações. Logo como profundo conhecedor e domador que és desses elementos e suas forças, saberás utilizá-los para o equilíbrio daqueles que sofreram e que são merecedores da misericórdia divina.

– Já ouvi falar dessa misericórdia e confesso, agora começo a entender como ela funciona.

– Isso mesmo. Você mesmo é a prova viva de que ela existe e está à disposição de todos os filhos de Deus.

– Sim, entendo perfeitamente.

– Trabalharemos em diversas casas espíritas auxiliando os mais necessitados e os merecedores desta misericórdia.

– Quantos seremos?

– Muitos. Uma falange de espíritos iluminados a serviço de Jesus Cristo.

Um verdadeiro exército do bem – explicou Rodrigo.

– E Deus é quem permite que isso aconteça desta forma?

– Sim. Isto é a misericórdia divina. E onde Deus utiliza-se dos espíritos mais elevados para auxiliar aqueles que estão em sofrimento – respondeu Daniel.

– Entendi perfeitamente. Agora o que eu tenho que fazer?

– Estudar, estudar, estudar. Você precisará de muito foco. Logo você vai lembrar-se de suas existências anteriores. Após passar pelo sono da recuperação, voltaremos a conversar e acertaremos os detalhes de nossa missão.

– Então ficarei aqui algum tempo?

– Sim, primeiro você vai para o sono da recuperação e depois vai estudar muito sobre as leis de Deus. Então estarás pronto para, junto com o Rodrigo, seguir sua missão de recuperação na Terra – orientou Daniel.

– Daniel… Rodrigo… quero agradecer de coração a vocês por esta incrível oportunidade. Obrigado mesmo!

– Não tens que nos agradecer. Agradeça a Lua Vermelha e ao seu pai que lhe esperam agora do lado de fora do galpão para lhe dar as boas-vindas a esta nobre missão.

– Como assim? Você só pode estar brincando, Rodrigo… posso ir vê-los? Agora, assim? Meu Deus Tupã…

Rodrigo e Daniel aproximaram-se de Ventania e todos se abraçaram com muita felicidade em seus corações. Ficaram com lágrimas nos olhos de emoção e alegria.

Ventania então correu como um louco para fora do galpão, profundamente ansioso, para reencontrar seu amado e querido pai que estava ao lado de seu grande amor, Lua Vermelha. Eles o aguardavam sorridentes e nervosos no jardim central da Colônia. Todos se abraçaram e choraram muito de alegria. Trovoada, que também os acompanhava, ergueu-se aos céus e soltou uma relinchada de euforia.

– Meu pai amado… meu amor, minha Lua iluminada…

– Meu filho… que bom revê-lo… – disse Lua Grande com muitas lágrimas nos olhos.

– Meu amor, Ventania, você finalmente chegou para nos reencontrar. Eu te amo para todo sempre. Eu não te disse que nos reencontraríamos, seu bobo?

– Disse, meu amor… e eu cumpri exatamente tudo que você me orientou para conseguir este momento ao seu lado. E daqui, do seu lado, não sairei jamais.

~ Fim ~

Mensagem de Osmar Barbosa

Agradeço, primeiramente, a Deus por me conceder esta vida, em segundo a Jesus Cristo, por me permitir estar encarnado neste plano e ser o portador desta história. Agradeço ao caboclo Ventania por confiar a mim estas linhas que vêm nos mostrar que todos precisam e merecem uma segunda chance.

Muitos espíritas não aceitam as entidades que representam os elementos da natureza e as discriminam, dizendo que isso não é espiritismo. Lamentavelmente, o que falta é humildade e conhecimento desta lei tão divina, que é a lei do amor, da paz e da caridade.

Esta história, que me foi contada pelo caboclo Ventania, ressalta que todos são merecedores de oportunidades para resgatar suas dívidas. E que Deus é tão justo, que não nega aos Seus filhos oportunidades de ajustamento, sendo aqui, ali ou mesmo acolá. E que o mundo espiritual se organiza de forma que até os espíritos mais desajustados possam servir às colônias nas esferas superiores e serem úteis ao bem, à caridade e desta forma ajustarem-se.

Isso, meus irmãos, se chama Lei Divina, Lei do Amor. Façamos uma reflexão profunda sobre a nossa querida Umbanda. Lembremo-nos que surgiu em uma reunião de mesa dentro da Federação Espírita e que vieram estes espíritos para colocar uma flor sobre a mesa do espiritismo. Além de tudo, esses costumes representam as raízes de nossos povos mais primitivos, nossa cultura de nação e de espíritos em evolução. Cultivemos o amor, sem preconceitos, sem julgamentos, sem direcionamentos elitizados. Sejamos portadores da caridade verdadeira cujo amor se sobrepõe a todas as coisas.

Osmar Barbosa

Outros títulos lançados por Osmar Barbosa

Conheça outros livros psicografados por Osmar Barbosa. Procure nas melhores livrarias do ramo ou pelos sites de vendas na internet.

Acesse

www.bookespirita.com.br

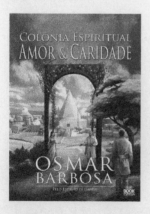  

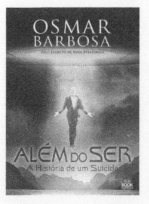
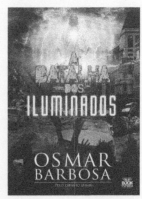
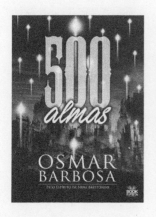

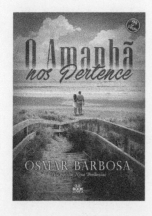

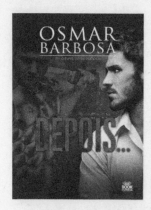  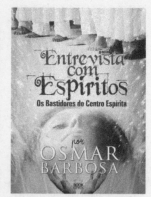
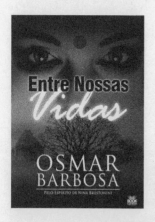  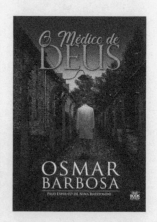
  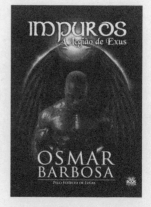

"Quando buscares uma religião, busque-a para te engrandecer em espírito, pois esse foi o objetivo de Jesus que esteve entre vós para direcioná-los a seguir para a evolução."

Frei Daniel

Esta obra foi composta na fonte Times New Roman corpo 12.
Rio de Janeiro, Brasil, outono de 2019.